5일 완성 프로젝트

창의적 문제해결력

파이널
수학 50제

매스티안

구성과 특징

수학 사고력

영재성검사, 창의적 문제해결력 검사 및 평가, 창의탐구력 검사에 출제되는 문제 유형입니다. 개념 이해력을 평가할 수 있는 교과 개념과 관련된 사고력 문제 유형과, 개념 응용력을 평가할 수 있는 창의사고력과 관련된 심화사고력 문제 유형으로 구성하였습니다.

수학 창의성

영재성검사, 창의적 문제해결력 검사 및 평가에 출제되는 문제 유형입니다. 창의성 평가 요소 중 유창성과 독창성 및 융통성을 평가할 수 있는 창의성 문제 유형으로 구성하였습니다. 유창성은 원활하고 민첩하게 사고하여 많은 양의 산출 결과를 내는 능력으로, 어떤 문제의 유효한 아이디어를 제한된 시간 내에 많이 쏟아내야 합니다. 독창성은 새롭고 독특한 아이디어를 산출해 내는 능력으로, 유창성 점수를 받은 유효한 아이디어 중 같은 학년의 학생들이 생각할 수 있는 아이디어가 아닌 특이하고 새로운 방식의 아이디어인 경우 추가로 점수를 받을 수 있습니다. 융통성은 생성해 낸 아이디어의 범주의 수를 의미하며, 다양한 각도에서 생각해야 합니다.

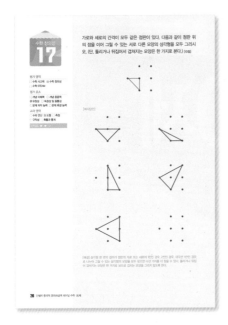

수학 STEAM

창의적 문제해결력 검사 및 평가, 창의탐구력 검사에 출제되는 신유형의 융합사고력 문제입니다. 융합사고력 문제는 단계적 문제 유형으로, 첫 번째 문제로 문제 파악 능력을 평가하고, 두 번째 문제로 파악한 문제의 해결 능력을 평가할 수 있는 유형으로 구성하였습니다.

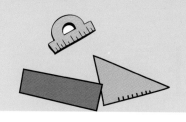

채점표

강별 배점이 100점이 되도록 문항별 점수와 평가 영역별 점수를 구성하였습니다. 수학 사고력 문항은 개념 이해력과 개념 응용력을, 수학 창의성은 유창성과 독창성 및 융통성을, 수학 STEAM은 문제 파악 능력과 문제 해결 능력을 평가 영역으로 구성하였습니다. 또한 채점 결과에 따른 문제 유형별 공부 방법을 제시하였습니다.

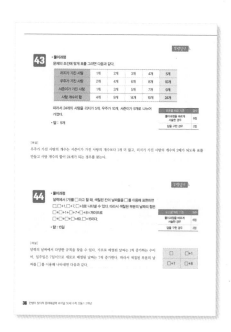

서술형 채점 기준

영재성검사, 창의적 문제해결력 검사 및 평가, 창의탐구력 검사에 출제되는 문제는 모두 서술형입니다. 부분 점수가 없는 객관식과 달리 서술형은 문제에서 요구하는 평가 요소들을 모두 넣어서 답안을 작성했는지에 따라 점수가 달라집니다. 자신의 답안을 채점 기준에 맞게 채점해 보면 서술형 답안 작성 방법을 연습할 수 있습니다.

부록 50제 시리즈로 대비할 수 있는 수학 대회 안내

다양한 수학 대회들 중 어떻게 대회를 준비해야 하는지 고민하시는 분들을 위해 50제 시리즈로 대비할 수 있는 수학 대회를 정리했습니다. 이 대회들은 영재교육원 문제 유형과 유사해서 미리 영재교육원 입시를 경험할 수 있고 실력을 체크할 수 있습니다. 각 대회의 기출 문제와 영재교육원 각 단계별 기출문제를 같이 수록했습니다.

목차

안쌤의 창의적 문제해결력

파이널 50제
수학1

초등
1·2
학년

평가 영역
■ 수학 사고력　□ 수학 창의성
□ 수학 STEAM

평가 요소
■ 개념 이해력　□ 개념 응용력
□ 유창성　□ 독창성 및 융통성
□ 문제 파악 능력　□ 문제 해결 능력

교과 영역
■ 수와 연산　□ 도형　■ 측정
□ 규칙성　□ 확률과 통계

난이도 ★ ★ ☆

다음 조건을 만족하는 수를 풀이과정과 함께 모두 구하시오. [8점]

- 세 자리 수이면서 짝수이다.
- 일의 자리 숫자와 십의 자리 숫자를 바꾸어 만든 수는 처음 수보다 9만큼 작다.
- 백의 자리 숫자와 십의 자리 숫자를 바꾸어 만든 수는 처음 수보다 90만큼 작다.

• 풀이과정

• 답

평가 영역
■ 수학 사고력 □ 수학 창의성
□ 수학 STEAM

평가 요소
■ 개념 이해력 □ 개념 응용력
□ 유창성 □ 독창성 및 융통성
□ 문제 파악 능력 □ 문제 해결 능력

교과 영역
□ 수와 연산 ■ 도형 □ 측정
□ 규칙성 □ 확률과 통계

난이도 ★ ★ ☆

왼쪽 도형은 투명판 위에 파란색 펜으로 4개의 사각형을 색칠한 것이다. 이 도형을 아래로 뒤집은 후, 오른쪽으로 반 바퀴 돌린 모양을 그리고, 알파벳 판 위에 올려놓았을 때, 색칠된 알파벳을 모두 쓰시오. [8점]

K	S	A	U
C	J	O	L
I	M	Q	N
F	E	B	H

• 도형

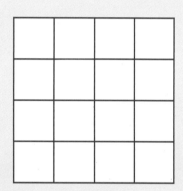

• 알파벳 :

수학 사고력 03

평가 영역
■ 수학 사고력　□ 수학 창의성
□ 수학 STEAM

평가 요소
■ 개념 이해력　□ 개념 응용력
□ 유창성　□ 독창성 및 융통성
□ 문제 파악 능력　□ 문제 해결 능력

교과 영역
■ 수와 연산　□ 도형　□ 측정
□ 규칙성　□ 확률과 통계

난이도 ★ ★ ☆

5장의 숫자 카드를 사용하여 다음 식을 만들었다. 가, 나, 다, 라, 마가 나타내는 수를 풀이과정과 함께 구하시오. [8점]

$$\boxed{1}\quad\boxed{3}\quad\boxed{5}\quad\boxed{7}\quad\boxed{9}$$

- 가×마=가
- 나+마=다+라
- 다-라=라-마
- 다+라+마=가

• 풀이과정

• 답

평가 영역
■ 수학 사고력 □ 수학 창의성
□ 수학 STEAM

평가 요소
□ 개념 이해력 ■ 개념 응용력
□ 유창성 □ 독창성 및 융통성
□ 문제 파악 능력 □ 문제 해결 능력

교과 영역
■ 수와 연산 □ 도형 □ 측정
□ 규칙성 □ 확률과 통계

난이도 ★ ☆ ☆

1에서 9까지의 숫자와 연산 기호 '+', '−'를 이용해 다음과 같은 식을 만들었다. 이 중 숫자 3개를 지우고 남은 숫자의 순서는 그대로 하여 두 자리 수끼리의 계산식으로 바꿀 때, 나올 수 있는 계산 결과 중 가장 큰 값을 풀이과정과 함께 구하시오. [8점]

$$397 + 428 - 165$$

• 풀이과정

• 답

평가 영역
■ 수학 사고력 □ 수학 창의성
□ 수학 STEAM

평가 요소
□ 개념 이해력 ■ 개념 응용력
□ 유창성 □ 독창성 및 융통성
□ 문제 파악 능력 □ 문제 해결 능력

교과 영역
□ 수와 연산 □ 도형 ■ 측정
□ 규칙성 □ 확률과 통계

난이도 ★ ★ ☆

1시간에 10분씩 빨리 가는 시계와 1시간에 5분씩 느리게 가는 시계가 있다. 어느 날 낮 12시에 두 시계를 정확히 맞추어 놓았다. 밤 10시가 되었을 때, 두 시계가 가리키는 시각의 차이를 풀이과정과 함께 구하시오. [8점]

· 풀이과정

· 답

평가 영역
☐ 수학 사고력 ■ 수학 창의성
☐ 수학 STEAM

평가 요소
☐ 개념 이해력 ☐ 개념 응용력
■ 유창성 ☐ 독창성 및 융통성
☐ 문제 파악 능력 ☐ 문제 해결 능력

교과 영역
■ 수와 연산 ☐ 도형 ☐ 측정
☐ 규칙성 ☐ 확률과 통계

난이도 ★ ★ ★

다음 주어진 숫자와 연산 기호를 사용하여 1에서 14까지의 수를 만드시오. (단, 숫자와 연산 기호를 모두 사용하지 않아도 된다.) [10점]

1, 1, 3, 9, +, −

수학 창의성

07

평가 영역
☐ 수학 사고력　■ 수학 창의성
☐ 수학 STEAM

평가 요소
☐ 개념 이해력　☐ 개념 응용력
■ 유창성　■ 독창성 및 융통성
☐ 문제 파악 능력　☐ 문제 해결 능력

교과 영역
☐ 수와 연산　☐ 도형　■ 측정
☐ 규칙성　☐ 확률과 통계

난이도 ★ ★ ★

길이를 알고 있는 세 개의 종이 막대를 이용해 잴 수 있는 길이를 풀이과정과 함께 모두 구하시오. [10점]

| 5 cm |
| 2 cm |
| 3 cm |

수학 창의성

08

평가 영역
- ☐ 수학 사고력 ■ 수학 창의성
- ☐ 수학 STEAM

평가 요소
- ☐ 개념 이해력 ☐ 개념 응용력
- ■ 유창성 ■ 독창성 및 융통성
- ☐ 문제 파악 능력 ☐ 문제 해결 능력

교과 영역
- ☐ 수와 연산 ☐ 도형 ■ 측정
- ☐ 규칙성 ☐ 확률과 통계

난이도 ★ ★ ★

다음은 길이를 알 수 없는 두 막대이다. 두 막대의 길이를 비교하는 방법을 다섯 가지 서술하시오. [10점]

❶ _____

_____

❷ _____

_____

❸ _____

_____

❹ _____

_____

❺ _____

_____

_____

_____

수학 STEAM 09

다음 기사를 읽고 물음에 답하시오.

기사

표란 조사한 자료를 어떤 기준에 따라 가로와 세로로 나누어진 직사각형 모양의 칸에 정리하여, 자료에 나타난 수량을 한눈에 알아보기 쉽게 만든 것이다. 자료의 수가 적을 경우에는 표만으로도 자료에 나타난 수량을 쉽게 알 수 있지만, 자료의 수가 많아진다면 표만으로 수량을 비교하기는 쉽지 않다. 이때 그래프를 사용한다. 그래프는 자료의 크기 비교나 변화를 한눈에 알아보기 쉽도록, 자료를 점, 직선, 곡선, 막대, 그림을 이용해 나타낸다. 자료가 비교적 간단한 경우에는 표와 그래프의 차이를 느끼지 못할 수도 있지만, 자료의 수가 많아진다면 표만으로는 자료를 비교하기 어렵다. 그래서 그래프를 사용하면 어떤 것이 가장 많고 적은지, 어떻게 변화하였는지 한눈에 알아보기 쉽다.

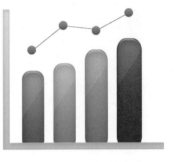

평가 영역

☐ 수학 사고력 ☐ 수학 창의성
■ 수학 STEAM

평가 요소

☐ 개념 이해력 ☐ 개념 응용력
☐ 유창성 ☐ 독창성 및 융통성
■ 문제 파악 능력 ☐ 문제 해결 능력

교과 영역

☐ 수와 연산 ☐ 도형 ■ 측정
☐ 규칙성 ■ 확률과 통계

난이도 ★ ☆ ☆

1 다음 표를 주어진 그래프로 나타내시오. [5점]

[가지고 있는 학용품별 개수]

학용품	풀	지우개	연필	자
개수(개)	1	3	5	2

개수				
5				
4				
3				
2				
1	○			
학용품	풀	지우개	연필	자

평가 영역
□ 수학 사고력   □ 수학 창의성
■ 수학 STEAM

평가 요소
□ 개념 이해력   □ 개념 응용력
□ 유창성   □ 독창성 및 융통성
□ 문제 파악 능력   ■ 문제 해결 능력

교과 영역
□ 수와 연산   □ 도형   ■ 측정
□ 규칙성   ■ 확률과 통계

난이도 ★ ★ ★

2 표와 그래프는 다양하고 많은 자료를 정리하기 위해 사용되며, 어떤 사실을 알기 쉽게 전달할 때도 사용된다. 우리 주변에서 그래프가 사용되는 경우를 다섯 가지 서술하시오. [10점]

❶

❷

❸

❹

❺

평가 영역
☐ 수학 사고력　☐ 수학 창의성
■ 수학 STEAM

평가 요소
☐ 개념 이해력　☐ 개념 응용력
☐ 유창성　☐ 독창성 및 융통성
■ 문제 파악 능력　☐ 문제 해결 능력

교과 영역
■ 수와 연산　☐ 도형　☐ 측정
☐ 규칙성　☐ 확률과 통계

난이도 ★ ★ ★

다음 기사를 읽고 물음에 답하시오.

기사

포포즈(Four Fours)는 4개의 4와 수학 기호를 사용하여 혼합연산으로 목표하는 자연수를 만든 것이다. 예를 들면 44−44=0, 44÷44=1 등과 같다. 1802년 영국의 라우즈 볼이라는 수학자가 4개의 4와 수학 기호들을 이용하여 1부터 112까지의 수를 나타내는 모든 방법을 발견하고 이것을 포포즈라고 불렀다. 이후 호기심 많은 사람이 0∼1000까지의 수를 4개의 4와 수학 기호를 이용해 해결했다.

1 포포즈의 방법과 같이 4개의 4와 '+', '−', '×', '÷'를 사용하여 계산 결과가 7, 8, 9가 되는 식을 각각 만드시오. [5점]

평가 영역

☐ 수학 사고력 ☐ 수학 창의성
■ 수학 STEAM

평가 요소

☐ 개념 이해력 ☐ 개념 응용력
☐ 유창성 ☐ 독창성 및 융통성
☐ 문제 파악 능력 ■ 문제 해결 능력

교과 영역

■ 수와 연산 ☐ 도형 ☐ 측정
☐ 규칙성 ☐ 확률과 통계

난이도 ★ ★ ★

2 주어진 6장의 숫자 카드와 '+', '×'의 연산 기호를 이용하여 만들 수 있는 식을 10가지 쓰시오. (단, 하나의 식에서 같은 카드를 두 번 사용할 수 없고, 2와 3을 이용해 23과 같이 두 자리 수를 만들 수 있다.) [10점]

| 2 | 3 | 4 | 5 | 7 | 8 |

예 27+8=35

① _____

② _____

③ _____

④ _____

⑤ _____

⑥ _____

⑦ _____

⑧ _____

⑨ _____

⑩ _____

안쌤의 창의적 문제해결력

파이널 수학 50제 **1강**

안쌤의 창의적 문제해결력

파이널 50제

수학2

초등
1·2
학년

평가 영역
■ 수학 사고력 □ 수학 창의성
□ 수학 STEAM

평가 요소
■ 개념 이해력 □ 개념 응용력
□ 유창성 □ 독창성 및 융통성
□ 문제 파악 능력 □ 문제 해결 능력

교과 영역
■ 수와 연산 □ 도형 □ 측정
□ 규칙성 □ 확률과 통계

난이도 ★ ★ ☆

다음 식에서 ▣와 ◑는 서로 다른 수이다. ▣와 ◑를 풀이과정과 함께 구하시오. [8점]

$$▣ \times ◑ = 18$$
$$◑ - ▣ = 7$$

· 풀이과정

· 답

평가 영역

■ 수학 사고력　□ 수학 창의성
□ 수학 STEAM

평가 요소

■ 개념 이해력　□ 개념 응용력
□ 유창성　□ 독창성 및 융통성
□ 문제 파악 능력　□ 문제 해결 능력

교과 영역

□ 수와 연산　■ 도형　□ 측정
□ 규칙성　□ 확률과 통계

난이도 ★ ★ ☆

[오각형의 변의 수 − 원의 꼭짓점의 수 + 사각형의 변의 수]는 얼마인지 풀이과정과 함께 구하시오. [8점]

• 풀이과정

• 답

수학 사고력

13

평가 영역
■ 수학 사고력　□ 수학 창의성
□ 수학 STEAM

평가 요소
■ 개념 이해력　□ 개념 응용력
□ 유창성　□ 독창성 및 융통성
□ 문제 파악 능력　□ 문제 해결 능력

교과 영역
□ 수와 연산　□ 도형　■ 측정
□ 규칙성　□ 확률과 통계

난이도 ★ ★ ☆

병건이는 오전 9시 45분부터 청소를 시작했고, 청소를 마치고 거울에 비친 시계를 보니 다음과 같았다. 병건이가 청소를 마치는 데 걸린 시간은 몇 분인지 풀이과정과 함께 구하시오. [8점]

• 풀이과정

• 답

2025년 2월의 세 번째와 네 번째 금요일의 날짜를 더하면 49이다. 같은 해 삼일절의 요일을 풀이과정과 함께 구하시오. (단, 2025년의 2월은 28일까지 있다.) [8점]

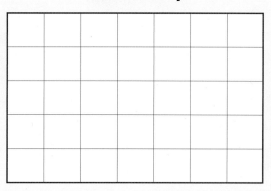

2월 (February)

• 풀이과정

• 답

평가 영역
■ 수학 사고력 □ 수학 창의성
□ 수학 STEAM

평가 요소
□ 개념 이해력 ■ 개념 응용력
□ 유창성 □ 독창성 및 융통성
□ 문제 파악 능력 □ 문제 해결 능력

교과 영역
□ 수와 연산 □ 도형 ■ 측정
□ 규칙성 □ 확률과 통계

난이도 ★ ★ ☆

이준이는 2 m 40 cm 길이의 리본을 같은 길이로 3등분, 민석이는 4 m 20 cm 길이의 리본을 같은 길이로 4등분 하였다. 이준이와 민석이가 가진 리본 조각 1개씩을 합한 길이의 합을 풀이과정과 함께 구하시오. [8점]

• 풀이과정

• 답

평가 영역
□ 수학 사고력 ■ 수학 창의성
□ 수학 STEAM

평가 요소
□ 개념 이해력 □ 개념 응용력
■ 유창성 ■ 독창성 및 융통성
□ 문제 파악 능력 □ 문제 해결 능력

교과 영역
□ 수와 연산 □ 도형 □ 측정
■ 규칙성 □ 확률과 통계

난이도 ★ ★ ★

다음과 같이 나열된 도형에서 찾을 수 있는 규칙을 다섯 가지 서술하시오. [10점]

❶

❷

❸

❹

❺

가로와 세로의 간격이 모두 같은 점판이 있다. 다음과 같이 점판 위의 점을 이어 그릴 수 있는 서로 다른 모양의 삼각형을 모두 그리시오. (단, 돌리거나 뒤집어서 겹쳐지는 모양은 한 가지로 본다.) [10점]

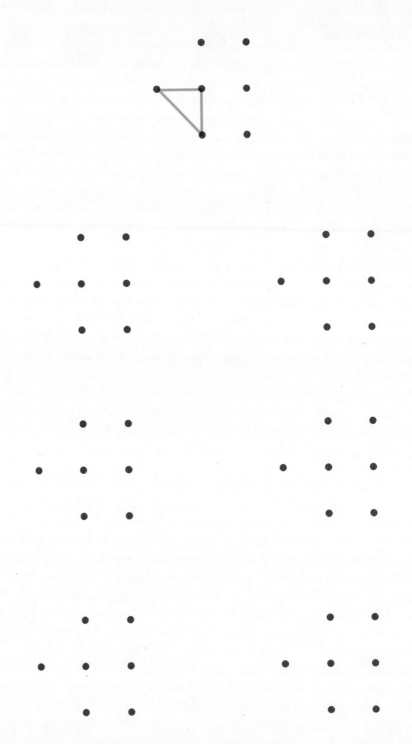

평가 영역

□ 수학 사고력   ■ 수학 창의성
□ 수학 STEAM

평가 요소

□ 개념 이해력 □ 개념 응용력
■ 유창성 □ 독창성 및 융통성
□ 문제 파악 능력 □ 문제 해결 능력

교과 영역

□ 수와 연산 ■ 도형 □ 측정
□ 규칙성 □ 확률과 통계

난이도 ★ ★ ☆

수학 창의성

18

10개의 과자를 노란색, 빨간색, 파란색 주머니에 남김없이 나누어 담으려고 한다. 노란색 주머니에 담긴 과자의 개수가 가장 많고, 파란색 주머니에 담긴 과자의 개수가 가장 적도록 나누어 담는 방법을 모두 구하시오. (단, 주머니에 담긴 과자의 개수는 모두 다르고, 모든 주머니에는 적어도 1개씩은 들어가야 한다.) [10점]

평가 영역

☐ 수학 사고력 ■ 수학 창의성
☐ 수학 STEAM

평가 요소

☐ 개념 이해력 ☐ 개념 응용력
■ 유창성 ☐ 독창성 및 융통성
☐ 문제 파악 능력 ☐ 문제 해결 능력

교과 영역

☐ 수와 연산 ☐ 도형 ☐ 측정
☐ 규칙성 ■ 확률과 통계

난이도 ★ ★ ☆

수학 STEAM
19

다음 기사를 읽고 물음에 답하시오.

기사

곱셈구구는 1부터 9까지의 수를 두 수끼리 곱하여 그 값을 나타낸 것으로 곱셈구구표는 곱셈구구를 표로 나타낸 것이다. 중국에서 만들어진 곱셈구구가 우리나라에 전해진 것은 고려 시대인 것으로 알려졌다. 옛날 중국이나 우리나라에서 곱셈구구를 배우는 사람은 지금과 같이 어린이들이 아니라 어른들이었으며 그 계층 역시 보통 사람들이 아닌 특수한 계급의 사람들이었다. 당시 곱셈구구는 2×1부터가 아니라 9×9부터 시작되었다고 한다. 우리가 흔히 말하는 구구단이라는 이름은 '구구 팔십일'로 시작되는 당시의 곱셈구구의 특징에서 유래한 것이다.
곱셈구구를 이용하면 곱셈과 나눗셈을 쉽고, 정확하게 계산할 수 있다. 우리나라 학생들이 연산과 수학에 특별한 재능을 보이는 것은 어릴 때부터 곱셈구구를 열심히 익힌 덕분이라고 할 수 있다.

평가 영역
□ 수학 사고력   □ 수학 창의성
■ 수학 STEAM

평가 요소
□ 개념 이해력   □ 개념 응용력
□ 유창성   □ 독창성 및 융통성
■ 문제 파악 능력   □ 문제 해결 능력

교과 영역
■ 수와 연산   □ 도형   □ 측정
■ 규칙성   □ 확률과 통계

난이도 ★ ★ ☆

1 다음 곱셈구구표를 완성하시오. [5점]

×	1	2	3	4	5	6	7	8	9	10	11	12
1	1	2	3	4	5	6	7	8	9	10	11	12
2	2	4	6	8	10	12	14	16	18	20	22	24
3	3	6	9	12	15	18	21	24	27	30	33	36
4	4	8	12	16	20	24	28	32	36	40	44	48
5	5	10	15	20								
6	6	12	18	24								
7	7	14	21	28								
8	8	16	24	32								
9	9	18	27	36								
10	10	20	30	40								
11	11	22	33	44								
12	12	24	36	48								

수학
2강

2 1의 단에서 9의 단까지의 곱셈구구에서 찾을 수 있는 규칙성을 열 가지 서술하시오. [10점]

① _____

② _____

③ _____

④ _____

⑤ _____

⑥ _____

⑦ _____

⑧ _____

⑨ _____

⑩ _____

수학 STEAM
20

다음 기사를 읽고 물음에 답하시오.

기사

분류란 같은 성질을 가진 물건들끼리 종류별로 나누어 놓는 것이다. 분류는 우리가 느끼는 것보다 훨씬 더 많이 우리 생활에 사용되고 있다. 예를 들어 어머니 심부름으로 식용유를 사러 마트에 갔다고 가정해 보자. 마트의 어느 곳으로 가야 식용유를 찾을 수 있을까? 다른 사람의 도움 없이 식용유를 찾기 위해서는 마트의 어느 부분에 어떤 물건들이 진열되어 있는지 알아야 한다. 식료품이 진열된 곳을 찾으면 그곳에서 식용유를 찾을 수 있을 것이다. 만약 마트의 물건들을 비슷한 물건끼리 모아놓지 않았다면 물건을 사는 사람뿐만 아니라 진열하는 사람 역시 어떤 물건을 찾기 위해 많은 시간을 들여야 한다.

평가 영역
☐ 수학 사고력   ☐ 수학 창의성
■ 수학 STEAM

평가 요소
☐ 개념 이해력   ☐ 개념 응용력
☐ 유창성   ☐ 독창성 및 융통성
■ 문제 파악 능력   ☐ 문제 해결 능력

교과 영역
☐ 수와 연산   ■ 도형   ☐ 측정
☐ 규칙성   ■ 확률과 통계

난이도 ★ ★ ☆

1 다음은 마트에서 흔히 볼 수 있는 물건들이다. 이 물건들을 두 모둠으로 분류할 수 있는 기준을 다섯 가지 쓰시오. [5점]

① _____

② _____

③ _____

④ _____

⑤ _____

평가 영역
□ 수학 사고력 □ 수학 창의성
■ 수학 STEAM

평가 요소
□ 개념 이해력 □ 개념 응용력
□ 유창성 □ 독창성 및 융통성
□ 문제 파악 능력 ■ 문제 해결 능력

교과 영역
□ 수와 연산 □ 도형 ■ 측정
□ 규칙성 ■ 확률과 통계

난이도 ★ ★ ★

2 다음은 음식물 쓰레기를 분류하는 방법을 알기 쉽게 정리해 놓은 것이다. 이처럼 우리 생활에 분류가 사용되는 경우를 세 가지 서술하시오. [10점]

음식물 쓰레기 아닌 것!!

채소류	쪽파, 대파, 미나리 등의 '뿌리' 고추씨, 고춧대 양파, 마늘, 생강, 옥수수 등의 '껍질, 옥수숫대'
과일류	호두, 밤, 땅콩, 도토리 등 딱딱한 '껍데기' 복숭아, 살구, 감 등 핵과류 '씨'
곡류	왕겨(벼의 겉겨)
육류	소, 돼지, 닭 등의 '털과 뼈다귀'
	조개, 소라, 전복, 멍게, 굴 등의 '껍데기' 게, 가재 등 '갑각류의 껍질' 생선뼈
기타	달걀 등 '알껍데기' 각종 차류 '찌꺼기', 한약재 '찌꺼기'

※ 분류기준은 지역마다 조금 달라요.
종량제 봉투에 음식물을 버리면 과태료가 부과됩니다

①

②

③

안쌤의 창의적 문제해결력

파이널 50제
수학3

초등
1 · 2
학년

다음은 A, B, C, D 네 사람이 모은 붙임 딱지의 수를 표로 나타낸 것이다. 표에서 몇 개의 숫자는 가려져 보이지 않는다. 가려진 숫자가 모두 다를 때, A, B, C, D가 모은 붙임 딱지의 수를 풀이과정과 함께 모두 구하시오. [8점]

학생	A	B	C	D
붙임 딱지의 수	221	2▮3	◆93	19●
많이 모은 순서	1	2	3	4

• 풀이과정

• 답

평가 영역
■ 수학 사고력　□ 수학 창의성
□ 수학 STEAM

평가 요소
□ 개념 이해력　■ 개념 응용력
□ 유창성　□ 독창성 및 융통성
□ 문제 파악 능력　□ 문제 해결 능력

교과 영역
□ 수와 연산　□ 도형　□ 측정
■ 규칙성　□ 확률과 통계

난이도 ★ ★ ☆

다음과 같은 규칙으로 삼각형을 늘어놓을 때, 일곱 번째 모양에서 어떤 색의 삼각형이 몇 개 더 많은지 풀이과정과 함께 구하시오. [8점]

 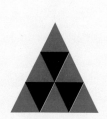 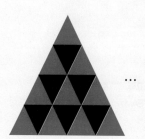 …

• 풀이과정

• 답

수학 사고력
23

평가 영역
■ 수학 사고력 □ 수학 창의성
□ 수학 STEAM

평가 요소
■ 개념 이해력 □ 개념 응용력
□ 유창성 □ 독창성 및 융통성
□ 문제 파악 능력 □ 문제 해결 능력

교과 영역
■ 수와 연산 □ 도형 □ 측정
□ 규칙성 □ 확률과 통계

난이도 ★ ★ ☆

승객 몇 명을 태우고 버스가 출발하였다. 첫 번째 정류장에서 2명이 내리고 6명이 탔다. 두 번째 정류장에서는 3명이 탔다. 두 번째 정류장을 지난 후 승객의 수가 25명이었다면 처음에 타고 있던 승객의 수를 풀이과정과 함께 구하시오. [8점]

• 풀이과정

• 답

평가 영역
■ 수학 사고력 □ 수학 창의성
□ 수학 STEAM

평가 요소
□ 개념 이해력 ■ 개념 응용력
□ 유창성 □ 독창성 및 융통성
□ 문제 파악 능력 □ 문제 해결 능력

교과 영역
□ 수와 연산 □ 도형 □ 측정
■ 규칙성 □ 확률과 통계

난이도 ★ ★ ☆

왼쪽 그림은 어떤 규칙에 따라 1~4까지의 수를 한 번씩만 사용해 완성한 퍼즐이다. 퍼즐을 완성하는 규칙을 쓰고, 1~7까지의 수를 한 번씩만 사용해 퍼즐을 완성하시오. [8점]

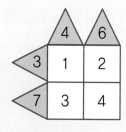
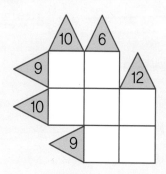

• 규칙

수학 사고력

25

평가 영역
■ 수학 사고력 □ 수학 창의성
□ 수학 STEAM

평가 요소
■ 개념 이해력 □ 개념 응용력
□ 유창성 □ 독창성 및 융통성
□ 문제 파악 능력 □ 문제 해결 능력

교과 영역
□ 수와 연산 □ 도형 ■ 측정
□ 규칙성 □ 확률과 통계

난이도 ★ ★ ☆

우리나라와 중국 베이징의 시차는 1시간으로, 베이징이 수요일 오후 1시일 때 우리나라는 수요일 오후 2시이다. 베이징에서 우리나라로 비행기를 타고 오는 데 걸리는 시간은 2시간이다. 베이징 시각으로 화요일 오전 11시 45분에 출발하는 비행기를 타고 우리나라에 도착하였을 때, 우리나라 시각을 풀이과정과 함께 구하시오. [8점]

• 풀이과정

• 답

다음은 가로와 세로의 길이가 같은 정사각형 모양으로 길을 나눈 것이다. A에서 B까지 가는 가장 빠른 길을 모두 표시하시오. [10점]

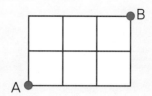

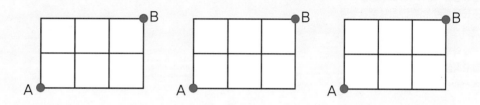

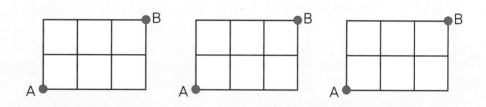

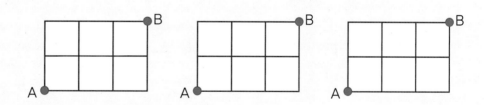

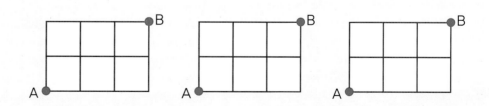

평가 영역
□ 수학 사고력 ■ 수학 창의성
□ 수학 STEAM

평가 요소
□ 개념 이해력 □ 개념 응용력
■ 유창성 ■ 독창성 및 융통성
□ 문제 파악 능력 □ 문제 해결 능력

교과 영역
□ 수와 연산 □ 도형 □ 측정
■ 규칙성 □ 확률과 통계

난이도 ★ ★ ☆

다음 수 배열표에서 찾을 수 있는 규칙을 다섯 가지 서술하시오. [10점]

$$
\begin{array}{ccccccc}
 & & & 1 & 1 & & & \\
 & & 1 & 2 & 1 & & \\
 & 1 & 3 & 3 & 1 & \\
1 & 4 & 6 & 4 & 1 \\
1 & 5 & 10 & 10 & 5 & 1 \\
1 & 6 & 15 & 20 & 15 & 6 & 1
\end{array}
$$

①

②

③

④

⑤

평가 영역
☐ 수학 사고력 ■ 수학 창의성
☐ 수학 STEAM

평가 요소
☐ 개념 이해력 ☐ 개념 응용력
■ 유창성 ■ 독창성 및 융통성
☐ 문제 파악 능력 ☐ 문제 해결 능력

교과 영역
☐ 수와 연산 ■ 도형 ☐ 측정
☐ 규칙성 ☐ 확률과 통계

난이도 ★ ★ ★

우리가 편의점에서 쉽게 볼 수 있는 삼각김밥은 삼각형이라는 독특한 모양 때문에 더 많은 관심을 받고 있다. 이처럼 우리 주변에 삼각형이 사용된 경우를 열 가지 쓰시오. [10점]

① _____

② _____

③ _____

④ _____

⑤ _____

⑥ _____

⑦ _____

⑧ _____

⑨ _____

⑩ _____

다음 기사를 읽고 물음에 답하시오.

기사

우리가 쓰는 수는 그 모양은 같지만 쓰임이 다른 경우가 있다. '우리 반 학생은 모두 몇 명일까요?'라는 물음에 대답으로 쓰이는 수는 물건이나 사람의 수가 모두 몇 개인지를 표현하는 데 사용되는 수이다. 이 수는 사물을 차례대로 배열하고 순서를 표현할 때에도 사용된다. 달리기 시합 결과 1등, 2등, 3등, …과 같이 사용되는 수이다.

각 반 학생들은 자신만의 번호를 가지고 있다. 예를 들면 2학년 3반의 12번은 한 명의 학생을 의미한다. 이처럼 수가 사물이나 사람의 이름과 같은 용도로 사용되는 경우도 있다. 대표적인 것이 운동선수의 유니폼에 적힌 수이다.

1 운동선수의 유니폼에 적힌 수와 같이 수가 이름과 같은 용도로 사용되는 경우를 다섯 가지 쓰시오. [5점]

① _____

② _____

③ _____

④ _____

⑤ _____

_____

_____

_____

평가 영역
□ 수학 사고력　□ 수학 창의성
■ 수학 STEAM

평가 요소
□ 개념 이해력　□ 개념 응용력
□ 유창성　□ 독창성 및 융통성
■ 문제 파악 능력　□ 문제 해결 능력

교과 영역
■ 수와 연산　□ 도형　□ 측정
□ 규칙성　□ 확률과 통계

난이도 ★ ★ ☆

평가 영역

□ 수학 사고력　□ 수학 창의성
■ 수학 STEAM

평가 요소

□ 개념 이해력　□ 개념 응용력
□ 유창성　□ 독창성 및 융통성
□ 문제 파악 능력　■ 문제 해결 능력

교과 영역

■ 수와 연산　□ 도형　■ 측정
□ 규칙성　□ 확률과 통계

난이도 ★ ★ ★

2 아파트의 동은 1203동, 101동과 같이 수로 표현한다. 이때 사용되는 수는 이름과 같은 용도로 사용된 수이다. 아파트 동을 수가 아닌 다른 것으로 표현할 방법을 다섯 가지 서술하시오. [10점]

① _____

② _____

③ _____

④ _____

⑤ _____

수학 STEAM

30

평가 영역
☐ 수학 사고력 ☐ 수학 창의성
■ 수학 STEAM

평가 요소
☐ 개념 이해력 ☐ 개념 응용력
☐ 유창성 ☐ 독창성 및 융통성
■ 문제 파악 능력 ☐ 문제 해결 능력

교과 영역
■ 수와 연산 ☐ 도형 ■ 측정
☐ 규칙성 ☐ 확률과 통계

난이도 ★ ★ ☆

다음 기사를 읽고 물음에 답하시오.

> 기사

돈이 무엇인지 모르는 사람은 없다. 다섯 살 아이도 돈을 주면 좋아한다. 그러나 돈이 무엇이냐는 질문에 시원하게 답하기는 어렵다. 돈은 인류 스스로가 만들어낸 가장 큰 선물이다. 화폐라고도 불리는 돈은 물물교환의 단점을 극복하기 위해 탄생한 발명품이다. 돈은 여러 가지 의미로 사용된다. 흔히 '돈 많이 버세요.'라는 말에서 돈은 부를 의미하

며, '우리나라에서 사용하는 가장 큰 단위의 돈은 오만원권입니다.'에서의 돈은 화폐를 의미한다. 현재 우리나라에서 사용되는 화폐는 10원, 50원, 100원, 500원의 동전과 1000원, 5000원, 10000원, 50000원의 지폐가 있다.

1 길이를 알고 있는 물건을 사용하면 자를 사용하지 않고도 길이를 잴 수 있다. 어떤 물건의 길이를 재기 위해 1000원짜리 지폐를 사용하였다. 물건의 길이가 1000원짜리의 긴 변의 3배였을 때, 물건의 길이는 몇 cm 몇 mm인지 풀이과정과 함께 구하시오. (단, 1000원짜리의 긴 변의 길이는 13 cm 6 mm이다.)
[5점]

• 풀이과정

• 답

2 **1**의 문제에서는 돈을 길이를 재는 용도로 사용하였다. 이처럼 돈을 돈이 아닌 다른 용도로 사용할 수 있는 아이디어를 다섯 가지 서술하시오. [10점]

평가 영역

☐ 수학 사고력   ☐ 수학 창의성
■ 수학 STEAM

평가 요소

☐ 개념 이해력   ☐ 개념 응용력
☐ 유창성   ☐ 독창성 및 융통성
☐ 문제 파악 능력   ■ 문제 해결 능력

교과 영역

☐ 수와 연산   ■ 도형   ■ 측정
☐ 규칙성   ☐ 확률과 통계

난이도 ★ ★ ★

❶

❷

❸

❹

❺

안쌤의 창의적 문제해결력

파이널 50제

수학4

초등
1 · 2
학년

수학 사고력

31

평가 영역

■ 수학 사고력　□ 수학 창의성
□ 수학 STEAM

평가 요소

■ 개념 이해력　□ 개념 응용력
□ 유창성　□ 독창성 및 융통성
□ 문제 파악 능력　□ 문제 해결 능력

교과 영역

■ 수와 연산　□ 도형　□ 측정
□ 규칙성　□ 확률과 통계

난이도 ★ ☆ ☆

컴퓨터를 이용해 13을 입력하려면 1과 3을 쳐야 하므로 키보드를 두 번 쳐야 한다. 1부터 35까지의 수를 컴퓨터에 입력한다면 키보드를 몇 번 쳐야 하는지 풀이과정과 함께 구하시오. (단, 수와 수 사이에 띄어쓰기는 하지 않는다.) [8점]

• 풀이과정

• 답

평가 영역

■ 수학 사고력　□ 수학 창의성
□ 수학 STEAM

평가 요소

□ 개념 이해력　■ 개념 응용력
□ 유창성　□ 독창성 및 융통성
□ 문제 파악 능력　□ 문제 해결 능력

교과 영역

□ 수와 연산　■ 도형　□ 측정
□ 규칙성　□ 확률과 통계

난이도 ★ ★ ☆

다음은 어느 계산식을 거울에 비춘 것이다. 가와 나에 들어갈 수를 거울에 비친 모습으로 풀이과정과 함께 구하시오. [8점]

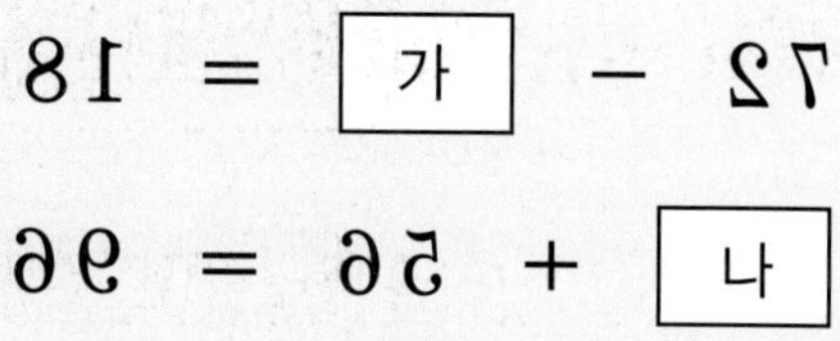

$$72 - \boxed{가} = 18$$

$$\boxed{나} + 56 = 96$$

(위 두 식은 거울에 비친 모습으로 나타나 있음)

· 풀이과정

· 답

수학 사고력

33

평가 영역
■ 수학 사고력　□ 수학 창의성
□ 수학 STEAM

평가 요소
■ 개념 이해력　□ 개념 응용력
□ 유창성　□ 독창성 및 융통성
□ 문제 파악 능력　□ 문제 해결 능력

교과 영역
■ 수와 연산　□ 도형　□ 측정
□ 규칙성　□ 확률과 통계

난이도 ★ ★ ☆

올해 혜원이는 9살, 쌍둥이 동생들은 2살이다. 혜원이의 나이가 쌍둥이 동생들의 나이의 합과 같아지는 해는 몇 년 후인지 풀이과정과 함께 구하시오. [8점]

• 풀이과정

• 답

평가 영역

■ 수학 사고력 □ 수학 창의성
□ 수학 STEAM

평가 요소

□ 개념 이해력 ■ 개념 응용력
□ 유창성 □ 독창성 및 융통성
□ 문제 파악 능력 □ 문제 해결 능력

교과 영역

□ 수와 연산 □ 도형 □ 측정
■ 규칙성 □ 확률과 통계

난이도 ★ ★ ★

다음 4개의 퍼즐의 규칙을 찾아 쓰고, ? 안에 들어갈 수를 풀이과정과 함께 구하시오. [8점]

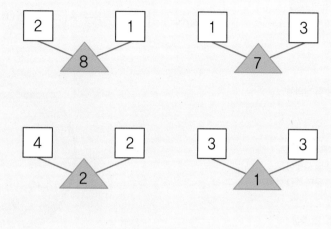

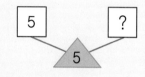

· 규칙

· 풀이과정

· 답

평가 영역
■ 수학 사고력 □ 수학 창의성
□ 수학 STEAM

평가 요소
■ 개념 이해력 □ 개념 응용력
□ 유창성 □ 독창성 및 융통성
□ 문제 파악 능력 □ 문제 해결 능력

교과 영역
□ 수와 연산 □ 도형 ■ 측정
□ 규칙성 □ 확률과 통계

난이도 ★ ★ ☆

교실 시계가 2시 30분을 가리키고 있을 때, 수현, 승석, 준기가 차례로 교실 시계의 긴 바늘을 시계 방향으로 반의반 바퀴, 반 바퀴, 한 바퀴 돌렸다. 교실 세 명이 시계의 바늘을 차례대로 모두 돌린 후 교실 시계가 가리키는 시각을 풀이과정과 함께 구하시오. [8점]

• 풀이과정

• 답

평가 영역
□ 수학 사고력 ■ 수학 창의성
□ 수학 STEAM

평가 요소
□ 개념 이해력 □ 개념 응용력
■ 유창성 ■ 독창성 및 융통성
□ 문제 파악 능력 □ 문제 해결 능력

교과 영역
□ 수와 연산 ■ 도형 □ 측정
□ 규칙성 □ 확률과 통계

난이도 ★ ★ ★

다음 두 물건의 공통점과 차이점을 각각 네 가지씩 서술하시오. [10점]

• 공통점

① _____

② _____

③ _____

④ _____

• 차이점

① _____

② _____

③ _____

④ _____

평가 영역
☐ 수학 사고력 ■ 수학 창의성
☐ 수학 STEAM

평가 요소
☐ 개념 이해력 ☐ 개념 응용력
■ 유창성 ☐ 독창성 및 융통성
☐ 문제 파악 능력 ☐ 문제 해결 능력

교과 영역
☐ 수와 연산 ■ 도형 ☐ 측정
☐ 규칙성 ☐ 확률과 통계

난이도 ★ ★ ★

가로와 세로의 간격이 모두 같은 점판이 있다. 다음과 같이 점판 위의 점을 이어 그릴 수 있는 서로 다른 모양의 사각형을 10개 그리시오. (단, 돌리거나 뒤집어서 겹쳐지는 모양은 한 가지로 본다.) [10점]

평가 영역
☐ 수학 사고력 ■ 수학 창의성
☐ 수학 STEAM

평가 요소
☐ 개념 이해력 ☐ 개념 응용력
■ 유창성 ☐ 독창성 및 융통성
☐ 문제 파악 능력 ☐ 문제 해결 능력

교과 영역
☐ 수와 연산 ☐ 도형 ☐ 측정
☐ 규칙성 ■ 확률과 통계

난이도 ★ ★ ☆

서현, 수연, 초아 세 사람이 발표할 순서를 정하려고 한다. 정할 수 있는 서로 다른 순서를 모두 구하시오. [10점]

1

2

3

4

5

6

7

8

9

10

다음 기사를 읽고 물음에 답하시오.

기사

테셀레이션이란 정삼각형·정사각형·정육각형과 같이 똑같은 모양의 도형을 이용해 어떠한 빈틈이나 겹침도 없이 공간을 가득 채우는 것이다. 테셀레이션은 4를 뜻하는 그리스어 '테세레스(tesseres)'에서 유래한 용어로, 가장 먼저 정사각형을 붙여 만드는 과정에서 생겨났다. 이것을 우리 말로 옮긴 것이 쪽매맞춤이다.

테셀레이션

쪽매맞춤-경복궁

테셀레이션이 미술 장르로 정착된 것은 20세기의 일이지만, 실제로 미술·건축 등에 적용된 것은 훨씬 오래전인 기원전부터일 것으로 추측된다. 이집트·페르시아·그리스·로마 등 서양은 물론, 중국·한국·일본 등 동양의 각종 장식예술품에도 테셀레이션을 이용한 문양이 곳곳에서 발견되기 때문이다.

평가 영역
□ 수학 사고력 □ 수학 창의성
■ 수학 STEAM

평가 요소
□ 개념 이해력 □ 개념 응용력
□ 유창성 □ 독창성 및 융통성
■ 문제 파악 능력 □ 문제 해결 능력

교과 영역
□ 수와 연산 ■ 도형 □ 측정
■ 규칙성 □ 확률과 통계

난이도 ★ ★ ☆

1 테셀레이션에는 밀기, 뒤집기, 돌리기와 같은 다양한 도형의 이동이 활용된다. 다음 도형을 뒤집은 모양을 그리시오. [5점]

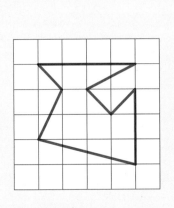
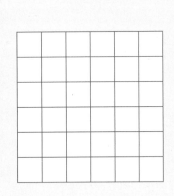

평가 영역

□ 수학 사고력   □ 수학 창의성
■ 수학 STEAM

평가 요소

□ 개념 이해력   □ 개념 응용력
□ 유창성   □ 독창성 및 융통성
□ 문제 파악 능력   ■ 문제 해결 능력

교과 영역

□ 수와 연산   ■ 도형   □ 측정
■ 규칙성   □ 확률과 통계

난이도 ★ ★ ★

2 테셀레이션은 도형이나 특정한 모양을 이용해 평면이나 공간을 빈틈없이 채우는 것이다. 다음은 한 변의 길이가 모두 같은 도형이다. 주어진 도형을 이용해 만들 수 있는 서로 다른 모양의 테셀레이션을 다섯 가지 그리시오. (단, 모든 모양의 도형을 사용하지 않아도 된다.) [10점]

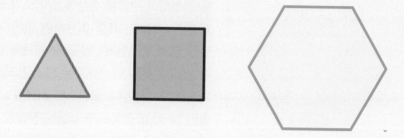

다음 기사를 읽고 물음에 답하시오.

기사

조사한 자료를 정리하여 보기 쉽게 나타내는 방법에는 표와 그래프가 있다. 특히 표는 어떤 기준에 따라 가로와 세로로 나누어진 직사각형 모양의 칸에 자료를 정리하여 수량을 한눈에 알아보기 쉽게 만든 것이다. 표를 이용하면 많은 자료를 쉽게 정리할 수 있고 각 항목에 따른 수량도 빠르고 정확하게 파악할 수 있다. 신문이나 잡지, 뉴스나 인터넷 등을 주의 깊게 보면 다양한 표와 그래프가 사용된다. 글만으로 자료를 나타내기보다 표나 그래프를 이용하면 훨씬 더 쉽고 정확하게 사실을 전달할 수 있기 때문이다. 여러 가지 자료가 주어졌을 때, 알기 쉽고 정확하게 표를 만드는 것은 자료를 조사하는 것만큼 중요하다.

1교시	09:10~09:50
2교시	10:00~10:40
3교시	10:50~11:30
4교시	11:40~12:20

1 다음은 형준이네 반 학생들의 수학 점수이다. 자료를 보고 표를 완성하시오. [5점]

99	92	80	75	82
74	88	72	96	90

[수학 점수]

점수(점)	71~80	81~90	91~100
학생 수(명)			

수학
4
강

2 표는 많은 자료를 효과적으로 정리할 수 있고, 어떤 사실을 쉽고 정확하게 전달하기 때문에 여러 곳에서 사용된다. 우리 주변에서 표가 사용된 경우를 열 가지 서술하시오. [10점]

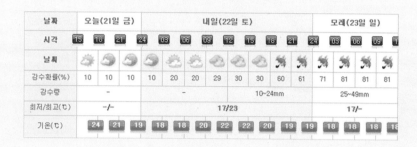

1

2

3

4

5

6

7

8

9

10

안쌤의 창의적 문제해결력

파이널 50제

수학5

어느 건물의 층수에는 1, 2, 3, 5, …, 13, 15, …, 39, 50, …과 같이 숫자 4가 들어간 수를 쓰지 않는다고 한다. 이 건물의 엘리베이터에 표시된 가장 높은 층이 63층일 때, 이 건물의 실제 층수를 풀이과정과 함께 구하시오. [8점]

• 풀이과정

• 답

평가 영역

■ 수학 사고력 ☐ 수학 창의성
☐ 수학 STEAM

평가 요소

■ 개념 이해력 ☐ 개념 응용력
☐ 유창성 ☐ 독창성 및 융통성성
☐ 문제 파악 능력 ☐ 문제 해결 능력

교과 영역

☐ 수와 연산 ☐ 도형 ☐ 측정
☐ 규칙성 ■ 확률과 통계

난이도 ★ ★ ☆

A, B, C, D, E 다섯 사람이 겨루어 우승자를 가리는 대회가 열렸다. 다섯 사람이 모두 다른 사람과 한 번씩 경기를 한다고 할 때, 우승자를 가리기 위해서는 모두 몇 경기를 해야 하는지 풀이과정과 함께 구하시오. [8점]

• 풀이과정

• 답

평가 영역
■ 수학 사고력 □ 수학 창의성
□ 수학 STEAM

평가 요소
□ 개념 이해력 ■ 개념 응용력
□ 유창성 □ 독창성 및 융통성
□ 문제 파악 능력 □ 문제 해결 능력

교과 영역
■ 수와 연산 □ 도형 □ 측정
□ 규칙성 □ 확률과 통계

난이도 ★ ★ ☆

우주, 서준, 리지가 24개의 사탕을 남김없이 나누어 가지려고 한다. 사탕을 다 나누어 가졌을 때, 우주가 가진 사탕의 개수는 서준이보다 1개 더 많고, 리지가 가진 사탕의 개수의 2배였다. 서준이가 가진 사탕은 몇 개인지 풀이과정과 함께 구하시오. [8점]

• 풀이과정

• 답

달력에서 색칠한 부분의 날짜의 합은 76이다. (가)의 날짜를 풀이과정과 함께 구하시오. [8점]

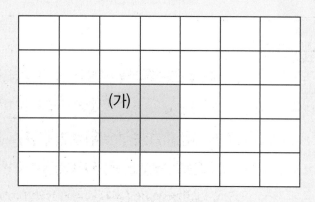

• 풀이과정

• 답

평가 영역
■ 수학 사고력 □ 수학 창의성
□ 수학 STEAM

평가 요소
■ 개념 이해력 □ 개념 응용력
□ 유창성 □ 독창성 및 융통성
□ 문제 파악 능력 □ 문제 해결 능력

교과 영역
■ 수와 연산 □ 도형 □ 측정
□ 규칙성 □ 확률과 통계

난이도 ★ ★ ★

창고 (가)에는 모래가 55자루, 창고 (나)에는 모래가 5자루가 있다. 하루에 모래 3자루를 창고 (가)에서 (나)로 옮길 때, 창고 (가)에 있는 모래의 양이 창고 (나)에 있는 모래의 양의 2배가 되는 날은 옮기기 시작한 지 며칠째 되는 날인지 풀이과정과 함께 구하시오. [8점]

• 풀이과정

• 답

다음 그림에서 찾을 수 있는 크고 작은 사각형을 모두 찾아 그리시오. [10점]

평가 영역
☐ 수학 사고력 ■ 수학 창의성
☐ 수학 STEAM

평가 요소
☐ 개념 이해력 ☐ 개념 응용력
■ 유창성 ■ 독창성 및 융통성
☐ 문제 파악 능력 ☐ 문제 해결 능력

교과 영역
☐ 수와 연산 ☐ 도형 ■ 측정
☐ 규칙성 ☐ 확률과 통계

난이도 ★ ★ ★

다음 두 도형의 넓이를 비교할 수 있는 방법을 다섯 가지 서술하시오. [10점]

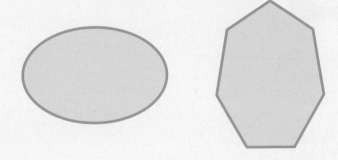

❶

❷

❸

❹

❺

수학 창의성

48

평가 영역
☐ 수학 사고력 ☑ 수학 창의성
☐ 수학 STEAM

평가 요소
☐ 개념 이해력 ☐ 개념 응용력
☑ 유창성 ☑ 독창성 및 융통성
☐ 문제 파악 능력 문제 해결 능력

교과 영역
☑ 수와 연산 ☐ 도형 ☐ 측정
☐ 규칙성 ☐ 확률과 통계

난이도 ★ ★ ★

다음에 주어진 식으로 해결할 수 있는 문제를 다섯 가지 만드시오.
[10점]

$$4 \times 3 + 5$$

예 종현이가 4일 동안 매일 3개의 사탕을 먹었더니 5개가 남았다.
종현이가 가지고 있던 사탕의 개수는 모두 몇 개인지 구하시오.

❶

❷

❸

❹

❺

다음 기사를 읽고 물음에 답하시오.

기사

덧셈은 두 수를 더하는 것이다. 두 수를 더해 생기는 결과까지 나타낸 것은 '덧셈식'이라고 하며, 그 결과는 '합'이라고 한다. 생활 속에서 '모두 몇 개'인지를 알아보거나 '전체의 수'를 구하거나 '두 수의 합'을 알려고 할 때, 덧셈을 이용한다. 덧셈할 때는 세로셈으로 계산하면 빠르고 쉽게 계산할 수 있다. 이때, 반드시 자릿수에 맞게 세로셈을 해야 정확한 답을 얻을 수 있다. 같은 수끼리 더한 값이 10이거나 10보다 클 때는 받아올림을 해주어 10을 더 높은 자리 수에 더해 주어야 한다. 덧셈에서는 두 수의 순서를 바꾸어 계산해도 같은 결과를 얻을 수 있다. 이것을 '덧셈의 교환법칙'이라고 한다.

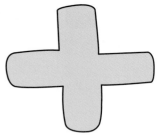

평가 영역
□ 수학 사고력   □ 수학 창의성
■ 수학 STEAM

평가 요소
□ 개념 이해력   □ 개념 응용력
□ 유창성   □ 독창성 및 융통성
■ 문제 파악 능력   □ 문제 해결 능력

교과 영역
■ 수와 연산   □ 도형   ■ 측정
□ 규칙성   □ 확률과 통계

난이도 ★ ★ ☆

❶ 덧셈이나 뺄셈과 같은 연산에 흥미가 없는 친구는 수학을 멀리 하는 경우가 많다. 이러한 친구를 위해 재미있는 덧셈 게임을 만들려고 할 때, 고려해야 할 점을 세 가지 서술하시오. [5점]

① _____

_____

② _____

_____

③ _____

_____

_____

2 덧셈을 재미있고 쉽게 익힐 수 있는 게임을 만들어 이름을 정하고 게임 방법을 서술하시오. (단, 주사위나 숫자 카드와 같은 게임 도구를 활용할 수 있다.) [10점]

• 게임 이름

• 게임 방법

다음 기사를 읽고 물음에 답하시오.

기사

도량형이란 길이, 부피, 무게와 이를 측정하는 도구를 의미한다. 인류가 물물교환을 시작하면서 물건의 길이와 양을 비교하기 시작하였고, 간단한 도량형이 생겨나기 시작했다.
최초의 도량형은 사람의 몸 일부분을 기준으로 사용하였다. 예를 들면 길이는 손가락의  길이나 손바닥의 길이, 부피는 양 손바닥에 가득 담을 수 있는 양을 기준으로 삼았다. 이처럼 나라마다 서로 다른 도량형을 사용하는 것은 서로 다른 길이나 부피, 무게들을 일일이 익히고 환산해야 하는 불편한 점이 있었다. 이 때문에 1875년 세계 각국의 대표가 모여 전 세계가 공통으로 사용할 수 있는 통일된 도량형을 채택하게 되었고 이것이 지금 우리가 사용하는 'm', 'cm'와 같은 미터법이다.

1 우리는 'mm', 'cm', 'm', 'km'와 같은 길이 단위를 사용하고 있다. 학교 건물의 높이를 잰다면 어떤 길이 단위의 자를 사용하는 것이 좋을지 쓰고, 그 이유를 서술하시오. [5점]

평가 영역

□ 수학 사고력　□ 수학 창의성
■ 수학 STEAM

평가 요소

□ 개념 이해력　□ 개념 응용력
□ 유창성　□ 독창성 및 융통성
■ 문제 파악 능력　□ 문제 해결 능력

교과 영역

■ 수와 연산　□ 도형　■ 측정
□ 규칙성　□ 확률과 통계

난이도 ★ ★ ☆

평가 영역
□ 수학 사고력   □ 수학 창의성
■ 수학 STEAM

평가 요소
□ 개념 이해력   □ 개념 응용력
□ 유창성   □ 독창성 및 융통성
□ 문제 파악 능력   ■ 문제 해결 능력

교과 영역
■ 수와 연산   □ 도형   ■ 측정
□ 규칙성   □ 확률과 통계

난이도 ★ ★ ★

❷ 지금과 같이 도량형이 발전하고, 길이 단위가 정확해지기 전에도 길이를 재고 표현해야 하는 경우가 많았을 것이다. 자나 길이 단위를 사용하지 않고 학교에서 집까지의 거리를 표현할 수 있는 방법을 다섯 가지 서술하시오. [10점]

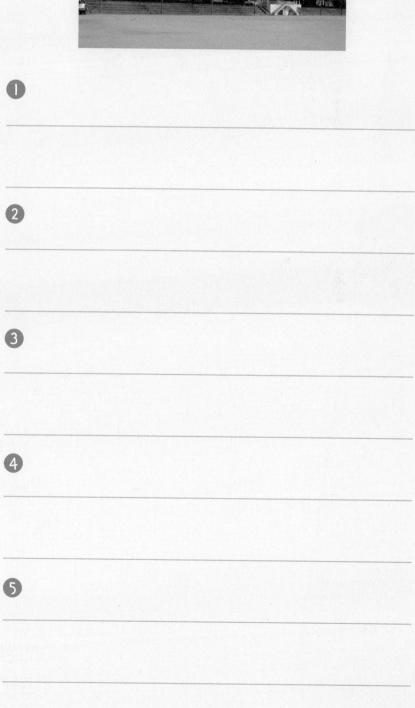

❶

❷

❸

❹

❺

50제 시리즈로 대비할 수 있는

수학 대회
안내

☑ **4월** 전국 초등수학 창의사고력 대회
– 서울교육대학교 주최

☑ **9월** 전국 초등수학 창의사고력 대회
– 서울교육대학교 주최

☑ **9월** 영재교육대상자 선발
– 교육청 주최

# 전국 초등수학 창의사고력대회

목적

초등학교 수학교육과정의 정상적 운영을 위해 수학적 사고력, 창의적 문제해결능력 등을 알아보며, 본 대회를 통하여 초등학교 수학교육과정의 정상적 운영에 기여한다.

- 주최 : 서울교육대학교   ■ 주관 : 기초과학연구원

대상 및 참가인원

- 대상 : 전국 초등학교 3, 4, 5, 6학년 학생
- 참가인원 : 각 학년 당 선착순 800명 내외
- 참가비 : 36,000원(접수비 6,000원 포함)

일시 및 장소

- 시험일시 : 상반기 4월 셋째 주 일요일 / 하반기 9월 셋째 주 일요일

  (4, 6학년 10 : 00~12 : 00 / 3, 5학년 14 : 30~16 : 30)

- 시험장소 : 서울교육대학교
- 시험방법 : 1, 2교시로 나누어 실시

  (1교시 – 객관식 5지 선다형, 2교시 – 창의사고력을 요하는 주관식)

출제안내

- 출제범위 : 하위 학년 전(全) 과정부터 해당 학년 시험 당일 이전 단원

구분	문항수	문제유형	시험시간	출제경향
1교시 객관식	20문항	5지 선다형	50분	계산력, 이해력 등을 알아볼 수 있는 교과연계형 위주의 사고력 문제
2교시 주관식	3문항	단답형	50분	심화 교과과정 위주의 사고력 문제
	2문항	서술형		종합적 사고력과 문제해결력을 평가할 수 있는 문제

- 출제위원 : 서울교대 수학교육과 교수진으로 구성
- 접수기간 : 상반기 3월~4월 / 하반기 8월~9월

[I] 길이가 20 km인 강이 있다. 이 강물의 속력은 시속 2 km이고 배의 속력이 시속 3 km이다.

　① 강물을 흘러가는 방향으로 배를 타고 강을 다 내려가는 데 걸리는 시간을 구하시오.

　② 강물을 거슬러 올라가는 방향으로 배를 타고 강을 다 올라가는 데 걸리는 시간을 구하시오.

[II] 다음 ? 에 들어갈 수를 쓰시오.

$$3 \cdot 4 = 14$$
$$5 \cdot 5 = 25$$
$$2 \cdot 6 = 32$$
$$8 \cdot 5 = ?$$

[III] 다음 문자식을 해석하여 숫자식으로 나타내시오.

$$\frac{ORANGE - APPLE}{MELON}$$

[IV] 어느 도시에 인구가 1천만 명이면 공중목욕탕은 모두 몇 개가 있어야 적당할지 추리하여 서술하시오.

영재교육대상자 선발

👓 선발 방법 및 시기

기관 구분	선발 방법	선발 시기
교육지원청 영재교육원	교사 관찰 · 추천에 의한 선발	8월~12월
단위학교 영재교육원	교사 관찰 · 추천에 의한 선발	8월~12월
직속기관 영재교육원	1학년 : 교사 관찰 · 추천 및 영재성검사(3단계 전형)	8월~12월
대학부설 영재교육원	교사 관찰 · 추천에 의한 선발	8월~2015년 5월
영재학급	교사 관찰 · 추천에 의한 선발	2월~4월

👓 관찰 · 추천 절차 및 방법

■ 교육지원청 영재교육원 및 직속기관, 단위학교 영재교육원

단계	추진내용	인원	담당	담당 기관
자기 추천	자기 추천 (영재교육 희망 학생)	희망 학생	해당 학생	GED 추천 시스템 활용
1단계	관찰대상자 선정 (담임 및 교과담당 교사)	희망 학생	담임(교과)교사	단위학교
2단계	집중관찰 및 기록 학교별 대상자 추천	1단계 선정된 학생	담임(교과)교사 집중관찰 위원 영재추천위원회	단위학교

• 단위학교에서 할 일

- 자기 추천

  영재교육을 희망하는 학생이 GED(영재교육종합데이터베이스) 추천시스템에 접속하여 체크리스트, 자기소개서 등 작성 및 영재교육대상자 선발 지원

- 1단계

  담임(교과) 교사가 희망자를 대상으로 학교생활 속에서 비교적 장기간 관찰한 내용을 토대로 GED 추천시스템을 활용하여 체크리스트 등 작성

- 2단계

  담임교사와 집중관찰 위원의 관찰 결과를 종합하여 영재교육대상자 추천위원회에서 학교별로 추천할 영재교육대상자를 결정하는 단계이다. 집중관찰 위원은 담임(교과)교사의 체크리스트 결과와 면담 및 자유탐구 과정 등을 종합하여 영재추천위원회에 보고하고, 영재교육대상자 추천위원회에서 학교별로 추천할 영재교육대상자를 결정한다.

- 교육지원청 및 직속기관, 단위학교 영재교육원에서 할 일

단계	추진내용	인원	담당	담당 기관
응시 대상자 발표	3단계 응시대상자 발표	학교별 일정 비율 선발	외부 심사위원	영재교육기관
3단계	창의적 문제 해결력 평가	최종 선발인원의 1.2배수	외부 심사위원	영재교육기관
4단계	인성·심층면접	최종 선발인원	외부 심사위원	영재교육기관
심의	최종 합격자 선정 심의	최종 선발인원	영재교육대상자 선정심사위원회	영재교육기관

- 3단계 응시대상자 발표

  단위학교에서 추천한 학생들을 대상으로 3단계(창의적 문제해결력 평가) 응시대상자를 선정하여 발표

- 3단계

  3단계 응시대상자를 대상으로 창의적 문제해결력 평가 등으로 최종선발인원의 1.2배수를 선정

- 4단계

  영재교육원에서 인성·심층면접으로 최종 선발인원을 영재교육대상자 선정심사위원회에 심의 상정

- 심의

  영재교육대상자 선정심사위원회의 심의를 통해 최종 선정

■ 대학부설 영재교육원

• 단위학교에서 할 일

  단위 학교에서 1, 2 단계를 실시하여 대학부설 영재교육원의 요강에 따라 학교별로 추천

• 대학부설 영재교육원에서 할 일

  해당 영재교육기관의 자체 계획에 의해 1차 서류 전형, 2차 면접 등 관찰·추천으로 선발한다.

2단계 관찰대상자 집중 관찰

집중 관찰의 의미

단위학교에서의 영재교육대상자 추천은 전체 선발 과정에서 가장 기초적이면서도 중요한 단계이다. 학교는 학생들이 가장 많은 시간을 보내는 곳이며, 수업 시간, 쉬는 시간, 학급 활동 등 다양한 상황에서 또래나 교사와의 상호작용을 통해 학생의 잠재성이 여러 방식으로 발현되는 공간이다. 학교에서 드러나는 학생의 특성을 잘 파악하고 이를 반영한다면 정확하고 효과적으로 영재교육대상자를 선발할 수 있을 것이다.

2단계는 관찰과 수행 중심의 포트폴리오를 근거로 여러 상황에서 관찰된 인지적 특성, 리더십, 창의성, 과제 집착력 등 다양한 준거를 활용하여 평가한다. 일회적인 평가가 아니라 꾸준한 관찰과 반복을 통한 평가 과정이다.

영역별 집중 관찰 방안

영역	차시	관찰 과정	비고
수학 과학 정보	1	탐구 주제 나열하기	
	2	탐구주제 정하고 계획 세우기	
	3~5	자유탐구 수행, 탐구보고서 작성하기	
	6	면담하기	
미술	1	자신이 그린(만든) 작품 소개하기	
	2~3	제시된 주제에 대한 작품 구상하기	
	4~5	작품 그리기(만들기)	
	6	면담하기	

유의 사항

- 관찰대상자를 영역별로 구분하여 관찰·추천위원이 진행함
- 차시는 학교 실정에 맞게 관찰·추천위원 협의를 통해 결정함

창의탐구력 유형

[I] 플라스틱 컵과 종이컵에 같은 양의 포도주스와 얼음을 넣고 물기를 닦고 무게를 재보니 200 g이었다. 그 두 컵을 유리판을 덮어 하루 동안 놔두었을 때, 두 컵의 변화의 차이를 예상하여 세 가지 쓰시오.

[II] 글자 하나하나가 좌우대칭인 글자 중 한 글자, 두 글자, 세 글자 짜리를 각각 두 개씩 쓰시오.

[III] 철수는 수조 안에서 검정말과 형광등으로 광합성 실험을 하려고 한다.

① 광합성을 하는 증거를 찾아라. (두 가지)

----

② 기포 수를 세는데 너무 작아서 세어지지 않았다. 이를 보완할 수 있는 방법을 쓰시오.

----

③ 기포가 너무 가끔씩 발생했다. 이를 보완할 수 있는 있는 방법을 쓰시오.

영재성검사 유형

[I] 한 아이는 앉아서 울고 한 아이는 서서 웃고 있는 그림을 보고, 무슨 일이 있었는지 12가지의 예를 들어 쓰시오.

[II] 만화로 거지였다가 부자가 된 장면을 보여주고, 그 사이 어떤 상황이 일어났을지 12가지 예를 들어 설명하시오.

[III] 닭과 귤의 공통점을 가능한 많이 쓰시오.

3단계 창의적 문제해결력 평가 또는 검사

시행 방법

3단계는 학습능력과 창의적 문제해결 능력을 평가하는 단계이다. 이 단계에서는 다양한 방법을 활용할 수 있다.

다음은 이미 개발되어 시범으로 시행하였던 수업 모형 예시이다. 수업은 '듣고 탐구하여 산출물을 제출하는 형식'으로 이루어진다. 개발된 수업은 고사장 전체에 똑같이 제공되며 동영상 수업으로 진행한다. 방송실에서 통제를 하면 평가자에 따른 변수를 최소화할 수 있다. 기존의 학생들이 접하지 못했던 주제, 사교육의 영향을 최대한 배제할 수 있는 주제를 수업으로 제공한다. 학생들의 수업 과정 중의 반응과 활동하는 태도, 과정을 관찰한 관찰 점수와 학생들의 활동 결과인 산출물을 평가한 점수를 합산하여 점수를 산출한다.

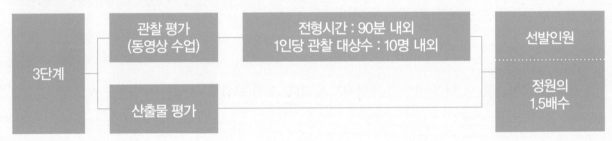

문제 출제 시 유의점

- 다양한 영역을 통합한 과제로 제시
- 수업내용을 명확하고 간단한 과제로 제시
- 선행학습 및 사교육을 배제한 과제로 제시
- 특정 학생 및 특정 성별에 유리한 문제는 배제함
- 관찰 및 산출물 평가를 병행 가능 항목으로 선정
- 적절한 난이도로 구성하여 변별력 있는 항목 평가
- 체크리스트 항목을 세분화하여 관찰위원의 평가 간 점수편차가 없도록 함
- 모든 학생에게 같은 조건, 같은 상황이 되도록 통제

[I] 피사의 사탑이 무너지지 않는 이유를 서술하시오.

[II] 엘리베이터안에 1층부터 1000층까지의 버튼을 어떻게 디자인하면 좋을지 자세히 서술하시오.

[III] 지구온난화로 인해 모두 바다로 뒤 덮혀 있다고 가정할 때, 살아남을 수 있는 방법 세 가지를 과학적 근거를 내세워 서술하시오. (단, 기온은 현재와 비슷하고 교실 크기의 배가 있고 과학실 안의 모든 실험도구를 사용할 수 있다.)

[IV] 비행기는 새를 본 떠 만들었다. 우리 주위에는 자연물을 본 떠서 물건을 만든 것들이 많다. 전신수영복은 무엇을 본 떠 만들었는지 쓰시오.

[V] 잠자리를 본 떠 만든 것은 무엇인지 쓰시오.

[VI] 벨크로(찍찍이)는 무엇을 본 떠 만든 것인지 쓰시오.

[VII] 자연을 본 떠 만든 물건을 2가지 쓰고, 어떤 자연물을 본 떠 만든 것인지 쓰시오.

[VIII] 펭귄이 추운 남극에서 멸종되지 않고 살아갈 수 있는 이유를 3가지 쓰시오.

[IX] 펭귄이 추운 남극에서 살아갈 수 있는 이유를 생각한 다음, 이를 이용하여 창의적인 물건을 만들고 그 물건의 장점을 쓰시오.

[X] 자동차가 노래하는 도로의 작은 홈들을 지나갈 때 도레미파솔 소리가 난다. 만약 홈과 홈 사이의 간격이 1 cm일 때 솔 음이 나고, 4 cm일 때 미 음이 난다면 도레파 음이 날 때 홈과 홈 사이 간격을 각각 구하시오.

4단계 인성 심층 면접

🔍 심층 면접의 의미

관찰·추천에 의한 영재교육대상자 선발 4단계는 인성 및 심층면접이다. 면접을 통해 인성뿐만 아니라 사교육에 의한 선행학습 요인을 배제하고, 창의성과 과제집착력 등 보다 다양한 학생의 특성을 확인하게 된다. 면접 평가는 점수화하여 영재교육대상자 선발의 당락에 영향을 줄 계획이다.

🔍 면접 방법

영재교육대상자 선발을 위한 면접은 개별 심층 면접으로, 질문지 등을 활용한 지시적 면접 방식으로 진행된다. 학생은 면접 고사장에 들어가기 전 면접 준비실에서 주어진 시간 동안 문항지를 보고 답안을 미리 생각한 후 면접에 참여한다.

🔍 면접 과정

면접 대기실		면접 준비실		면접 고사장
수험생은 감독위원의 지시가 있을 때까지 대기실에서 기다린다.	▶	감독위원의 지시에 따라 면접 준비실로 이동한 후 주어진 시간 동안 문항지를 보고 답안을 미리 생각한다.	▶	정해진 시간 동안 미리 생각한 답안을 면접위원에게 설명한다.

🔍 면접 문항 유형

문항 유형	내용
인성	학생의 사고와 태도 및 행동 특성을 파악
학문적성	창의적 문제해결 수행과 관련있는 학문적 지식 확인
창의성	영재의 중요한 특성 중의 하나인 창의성 확인
과제집착력	창의적 수행과정과 관련된 문항으로 과제집착력 확인

기출유형

[I] 다른 아이들과 어울리지 못하는 아이의 그림 상황을 보고 이때 나라면 어떻게 할 것인지 쓰세요.

[II] 달나라를 여행하는 우주선에 탑승하는 우주복에 있어야 할 기능을 7가지 쓰세요.

[III] 수학이 생활에서 적용되는 예 세 가지 이상 쓰세요.

[IV] 비행기는 새를 본 떠 만들었다. 이처럼 동, 식물을 본 떠 만든 것을 말하고, 장점 두 가지를 말해보세요.

[V] 나의 꿈이 수학 과학과 연관이 있는지 말해보세요.

[VI] 아프리카에 가난한 사람들이 많이 있다. 내가 그 사람들을 위해 어떤 일을 할 수 있는지 방법을 세 가지 말해보세요.

안쌤이 추천하는
영재교육원 대비 1,2학년 로드맵

STEP

문제해결력

안쌤의 창의적 문제해결력 수학   안쌤의 창의적 문제해결력 수학

STEP

실전파이널

안쌤의 창의적 문제해결력 파이널 수학, 과학 50제

STEP

실전테스트

안쌤의 창의적 문제해결력 모의고사 시리즈 초등 1. 2학년

안쌤이 추천하는
영재교육원 대비 3,4학년 로드맵

STEP
개념+창의력

안쌤의 초등 줄기과학 시리즈 **영역별 8강, 총 32강**

STEP
문제해결력

안쌤의 창의적 문제해결력 시리즈 **수학 8강, 과학 8강**

STEP
실전테스트

안쌤의 창의적 문제해결력 시리즈 **과학 50제, 수학 50제, 모의고사 4회**

융합인재교육 STEAM 이란?

과학 [Science] **S**

수학 [Mathmatics] **M** STEAM 융합인재교육 **T** 기술 [Technology]

예술 [Art] **A** **E** 공학 [Engineering]

· 수학, 과학, 기술, 공학 간 상호 연계성 고려, 학문 간 공통 핵심 요소 중심으로 교육
· 예술적 소양을 함양하고 타 학문에 대한 이해가 깊은 미래형 인재 양성으로 교육

[자료 출처 : 한국과학창의재단]

융합인재교육은 과학기술공학과 관련된 다양한 분야의 융합적 지식, 과정, 본성에 대한 흥미와 이해를 높여 창의적이고 종합적으로 문제를 해결할 수 있는 융합적 소양(STEAM Literacy)를 갖춘 인재를 양성하는 교육이라고 정의하고 있다. 학습자가 실제 문제 상황을 다양하게 설계하고 해결하는 과정을 통해 새로운 개념을 생성하고, 창의적으로 설계하며, 더불어 사는 인성, 즉 사회적 감성을 발달하도록 하는 것이다.
이러한 융합인재교육(STEAM)의 목적은 다음과 같이 정리할 수 있다.

🌼 빠르게 변화하는 사회 변화의 적응력을 높이는 것이다.
　🌼 개인의 창의 인성, 지성과 감성의 균형 있는 발달을 돕는 것이다.
　　🌼 타인을 배려하고 협력하며, 소통하는 능력을 함양하는 것이다.
　　　🌼 과학 효능감과 자신감, 과학에 대한 흥미 등을 증진시킴으로써 과학 학습에 대한 동기 유발을 높이는 것이다.
　　　　🌼 융합적 지식 및 과정의 중요성을 인식시키는 것이다.
　　　　　🌼 학습자 중심의 수평적 융합적 교육으로 전환하는 것이다.
　　　　　　🌼 합리적이고 다양성을 인정하는 문화 형성에 기여하는 것이다.
　　　　　　　🌼 대중의 과학화를 기반으로 한 합리적인 사회를 구성하는 데 기여하는 것이다.
　　　　　　　🌼 창조적 협력 인재를 양성하는 것이다.
　　　　　　　　🌼 수학, 과학, 기술, 공학 간 상호 연계성 고려, 학문 간 공통 핵심 요소 중심으로 교육
　　　　　　　　🌼 예술적 소양을 함양하고 타 학문에 대한 이해가 깊은 미래형 인재 양성으로 교육

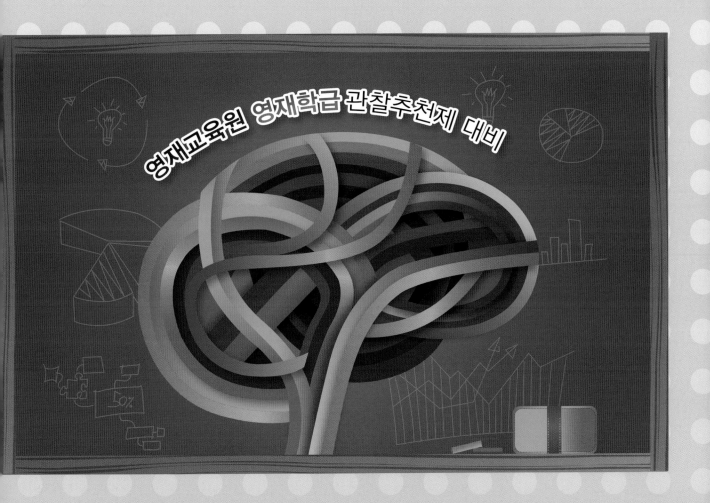

영재교육원 영재학급 관찰추천제 대비

안쌤의 「창의적 문제 해결력」 수학 과학 공통

모의고사

① 모의고사[4회]

- 최근 시행된 전국 관찰추천제 **기출 완벽 분석 및 반영**
- 서울권 창의적 문제해결력 평가 대비
- 영재성검사, 학문적성검사, **창의적 문제해결력 검사 대비**

② 평가 가이드 및 부록

- 영역별 점수에 따른 **학습 방향 제시와 차별화된 평가 가이드 수록**
- 창의적 문제해결력 평가와 면접 기출유형 및 예시답안이 포함된 **관찰추천제 사용설명서 수록**

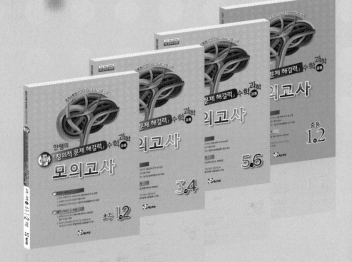

안쌤의
줄기과학 시리즈

새 교육과정
3~4학년
학기별
STEAM 과학

3-1 **8강**　3-2 **8강**　　　4-1 **8강**　4-2 **8강**

새 교육과정
5~6학년
학기별
STEAM 과학

5-1 **8강**　5-2 **8강**　　　6-1 **8강**　6-2 **8강**

새 교육과정
중등 영역별
STEAM 과학

물리학 **24강**　화학 **16강**　생명과학 **16강**　지구과학 **16강**　　물리학 워크북　　화학 워크북

5일 완성 프로젝트

파이널

안쌤의 창의적 문제해결력

수학 50제

정답 및 해설

파이널 50제 5강 구성

★ 영재성검사, 창의적 문제해결력 평가 및 검사,
  창의탐구력 검사에 공통으로 출제되는 수학 사고력,
  수학 창의성, 수학 STEAM(융합사고) 문제 유형으로 구성

★ 서술형 채점 기준으로 자신의 답안을 채점하면서
  답안 작성 능력을 향상시킬 수 있도록 구성

초등
1~2학년

부록 |
50제 시리즈로 대비할 수 있는
수학 대회 안내

초등수학 창의사고력 대회, 영재교육원 선발에 대한 안내와 기출 유형 문제 수록

매스티안

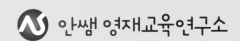
안쌤 영재교육연구소

상위 1%가 되는 길로 안내하는 이정표로,
학생들이 꿈을 이루어갈 수 있도록 콘텐츠 개발과 강의 연구를 하고 있다.

저자 **안쌤 영재교육연구소**

안재범, 최은화, 유나영, 이상호, 추진희, 오아린, 허재이, 이민숙, 이나연, 김혜진, 신혜진

검수

김훈겸, 박은미, 안혜정, 이수연, 정영숙, 정회은

이 교재에 도움을 주신 선생님

강수남, 강영미, 권영경, 김영균, 김정환, 김지영, 김진선, 김진영, 김형진, 김혜선, 노관호, 류수진,
박기훈, 박미경, 박선재, 박지숙, 송경화, 어유선, 오소영, 윤소영, 이경미, 이미영, 이석영, 이아란,
이진실, 장시영, 전익찬, 전정희, 전현정, 정영숙, 정회은, 조지흔, 최지유, 한현정, 홍애순

안쌤의 창의적 문제해결력

파이널 수학 50제

정답 및 해설

초등
1·2
학년

문항 구성 및 채점표

평가영역 / 문항	수학 사고력		수학 창의성		수학 STEAM	
	개념 이해력	개념 응용력	유창성	독창성 및 융통성	문제 파악 능력	문제 해결 능력
1	점					
2	점					
3	점					
4		점				
5		점				
6			점			
7			점	점		
8			점	점		
9					점	점
10					점	점

평가영역별 점수	개념 이해력	개념 응용력	유창성	독창성 및 융통성	문제 파악 능력	문제 해결 능력
	수학 사고력		수학 창의성		수학 STEAM	
	/ 40점		/ 30점		/ 30점	

총점	

평가 결과에 따른 학습 방향

사고력	35점 이상	정확하게 답안을 작성하는 연습을 하세요.
	24~34점	교과 개념과 연관된 응용문제로 문제 적응력을 기르세요.
	23점 이하	틀린 문항과 관련된 교과 개념을 다시 공부하세요.

창의성	26점 이상	보다 독창성 및 융통성 있는 아이디어를 내는 연습을 하세요.
	18~25점	다양한 관점의 아이디어를 더 내는 연습을 하세요.
	17점 이하	적절한 아이디어를 더 내는 연습을 하세요.

STEAM	26점 이상	답안을 보다 구체적으로 작성하는 연습을 하세요.
	18~25점	문제 해결 방안의 아이디어를 다양하게 내는 연습을 하세요.
	17점 이하	실생활과 관련된 수학 기사로 수학적 사고를 확장하는 연습을 하세요.

정답 및 해설

01

모범답안

• 풀이과정

'세 자리 수이면서 짝수이다'를 만족하는 수는

□□0, □□2, □□4, □□6, □□8이다.

일의 자리 숫자와 십의 자리 숫자를 바꾸어 만든 수는 처음 수보다 9만큼 작으므로

가능한 수는 □10, □32, □54, □76, □980이다.

백의 자리 숫자와 십의 자리 숫자를 바꾸어 만든 수는

처음 수보다 90만큼 작으므로 가능한 수는 210, 432, 654, 876이다.

• 답 : 210, 432, 654, 876

요소별 채점 기준	점수
풀이과정을 바르게 서술한 경우	6점
답을 구한 경우	2점

[해설]

하나의 조건을 만족하는 수를 구하고 그중 다음 조건을 만족하는 수를 찾아 여러 수 중에서 답이 될 수 있는 수의 개수를 점점 줄여나가는 방법으로 수를 구한다. 일의 자리 숫자와 십의 자리 숫자를 바꾸어 만든 수는 처음 수보다 9만큼 작다는 것을 식으로 나타내면 처음 수−일의 자리 숫자와 십의 자리 숫자를 바꾸어 만든 수=9로 나타낼 수 있다.

이것은 십의 자리 숫자=일의 자리의 숫자+1이라는 의미이다.

모범답안

02

• 도형

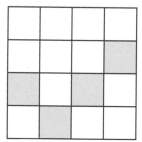

• 알파벳 : I, E, Q, L

요소별 채점 기준	점수
투명판을 바르게 그린 경우	3점
색칠된 알파벳을 바르게 구한 경우	3점

투명판을 아래로 뒤집은 모양은 다음과 같다.

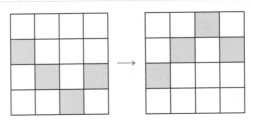

아래로 뒤집은 모양을 오른쪽으로 반 바퀴 돌린 모양은 다음과 같다.

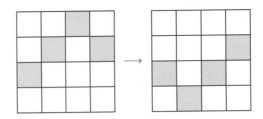

회전한 투명판을 알파벳 판 위에 올린 모양은 다음과 같다.

K	S	A	U
C	J	O	L
I	M	Q	N
F	E	B	H

03

• 풀이과정

가×마=가에서 마=1이다.

다−라=라−마에서 다가 라보다 더 큰 수임을 알 수 있다.

다+라+마=가에서 다+라+1=가이므로

남은 숫자 카드 중에서 이 식을 만족하기 위해서 가는 가장 큰 수인 9가 된다.

나+마=다+라에서 나+1=다+라에서 남은 숫자 카드 3, 5, 7로 식을

만들어 보면, 7+1=5+3이다.

따라서 나=7, 다=5, 라=3이 된다.

• 답 : 가=9, 나=7, 다=5, 라=3, 마=1

요소별 채점 기준	점수
풀이과정을 바르게 서술한 경우	6점
답을 구한 경우	2점

정답 및 해설

[해설]

2×1=2, 5×1=5와 같이 가×마=가일 때, 마=1임을 알 수 있다.

또 다+라+마=가에서 가는 다른 세 개의 수를 합한 값과 같으므로 가장 큰 수임을 알 수 있고,

가능한 식은 5+3+1=9이다. 주어진 식을 이용해 가능한 숫자의 범위를 점점 좁혀 그 조건을 만족하는 숫자 카드를 찾는다.

• 풀이과정

계산 결과가 가장 크게 되려면 더하는 두 수는 가능한 큰 수여야 하고, 빼는 수는 가능한 작은 수여야 한다.

397에서 숫자 3을 지워 97을 만들고,

428에서 숫자 2를 지워 48을 만들고,

165에서 숫자 6을 지워 15를 만든다.

97+48−15=130이다.

• 답 : 130

요소별 채점 기준	점수
풀이과정을 바르게 서술한 경우	6점
답을 구한 경우	2점

[해설]

계산 결과가 가장 큰 값이 되려면 더하는 두 수는 가능한 큰 수여야 하므로 가장 작은 숫자를 지우고, 빼는 수는 가능한 작은 수여야 하므로 가장 큰 숫자를 지워야 한다.

• 풀이과정

낮 12시에 시각을 정확히 맞추어 놓고 밤 10시가 되었으므로 10시간이 지났다.

1시간에 10분씩 빨리 가는 시계는 10시간 동안 10분씩 빨리 갔으므로

정확한 시각보다 10분×10=100분=1시간 40분 빨라졌다.

1시간에 5분씩 느리게 가는 시계는 10시간 동안 5분씩 느리게 갔으므로

정확한 시각보다 10분×5=50분 느려졌다.

따라서 밤 10시에 1시간에 10분씩 빨라지는 시계가 가리키는 시각은

10시+1시간 40분=11시 40분이고,

1시간에 5분씩 느리게 가는 시계가 가리키는 시각은

10시−50분=9시 10분이다.

두 시계의 시각의 차이는 11시 40분−9시 10분=2시간 30분이다.

• 답 : 2시간 30분

요소별 채점 기준	점수
풀이과정을 바르게 서술한 경우	6점
답을 구한 경우	2점

매시간 일정하게 빨라지고 느려지는 시계이므로 지난 시간이 얼마인지 알고 그 시간 동안 빨라진 시간과 느려진 시간을 구하면 두 시계가 가리키는 시각의 차이를 구할 수 있다.

두 시계가 1시간이 지날 때마다 생기는 시각의 차이를 이용해 문제를 해결할 수도 있다. 1시간에 10분씩 빨리 가는 시계와 1시간에 5분씩 느리게 가는 시계는 1시간이 지날 때마다 10분＋5분＝15분의 차이가 생긴다. 매시간 15분의 차이가 생기므로 10시간 후에는 15분×10＝150분＝2시간 30분 차이가 생긴다.

예시답안

- 1＝3−1−1, 1
- 2＝3−1
- 3＝3−1＋1, 3
- 4＝3＋1, 4＝9−3−1−1
- 5＝3＋1＋1, 5＝9−3−1
- 6＝9−3
- 7＝9−1−1, 7＝9−3＋1
- 8＝9−1, 8＝9−3＋1＋1
- 9＝9−1＋1, 9
- 10＝9＋1
- 11＝9＋1＋1, 11＝9＋3−1
- 12＝9＋3
- 13＝9＋3＋1
- 14＝9＋3＋1＋1

※ 유창성 [10점]

총체적 채점 기준	점수
14개의 수를 만든 경우	10점
13~12개의 수를 만든 경우	8점
11~10개의 수를 만든 경우	6점
9~8개의 수를 만든 경우	4점
7~6개의 수를 만든 경우	2점
5~1개의 수를 만든 경우	1점

[해설]

숫자와 연산 기호를 모두 사용하지 않아도 되므로 1, 3, 9의 경우 하나의 숫자만으로도 원하는 수를 만들 수 있다. 나머지 수는 주어진 숫자와 연산 기호를 적절히 사용하여 만든다. 원하는 수를 만드는 방법이 여러 가지인 경우도 있다.

정답 및 해설

07

1 cm · 3 cm / 2 cm · 3cm−2cm=1cm

2 cm · 2cm / 5cm · 3cm · 2cm, 5cm−3cm=2cm

3 cm · 3cm / 5cm · 2cm · 3cm, 5cm−2cm=3cm

4 cm · 5cm · 2cm / 3cm · 5cm+2cm−3cm=4cm

5 cm · 5cm / 3cm · 2cm · 5cm, 3cm+2cm=5cm

6 cm · 5cm · 3cm / 2cm · 5cm+3cm−2cm=6cm

7 cm · 5cm · 2cm · 5cm+2cm=7cm

8 cm · 5cm · 3cm · 5cm+3cm=8cm

10 cm · 5cm · 3cm · 2cm · 5cm+3cm+2cm=10cm

※ 유창성 [6점]

총체적 채점 기준	점수
9가지를 구한 경우	6점
8~7가지를 구한 경우	5점
6~5가지를 구한 경우	4점
4~3가지를 구한 겨우	3점
2~1가지를 구한 경우	1점

※ 독창성 및 융통성 [4점]

요소별 채점 기준	점수
1cm, 7cm, 8cm를 구한 경우	2점
4cm, 6cm, 10cm를 구한 경우	2점

[해설]

주어진 세 개의 종이 막대를 이용해 잴 수 있는 길이는 종이 막대를 옆으로 이어 붙이거나 아래로 이어 붙이는 모든 경우를 생각해야 한다. 주어진 막대를 이용해 잴 수 있는 길이는 모두 9가지이다.

- 자를 이용해 두 막대의 길이를 재어 길이를 비교한다.
- 두 막대를 평평한 곳에 세워 길이를 비교한다.
- 막대의 길이를 다른 도구나 종이에 표시해 그 길이를 비교한다.
- 막대보다 길이가 짧은 단위 길이를 이용해 길이를 재어 비교한다.
- 주어진 두 막대와 같은 길이로 잘라서 만든 두 나무막대의 무게를 비교한다. 두께가 일정한 나무막대이므로 무거운 나무막대의 길이가 더 길다.

※ 유창성 [6점]

총체적 채점 기준	점수
다섯 가지 방법을 서술한 경우	6점
네 가지 방법을 서술한 경우	5점
세가지 방법을 서술한 경우	4점
두가지 방법을 서술한 경우	3점
한 가지 방법을 서술한 경우	1점

※ 독창성 및 융통성 [4점]

요소별 채점 기준	점수
길이를 비교하는 방법을 서술한 경우	2점
무게를 비교하는 방법을 서술한 경우	2점

[해설]

길이를 측정하는 방법은 다양하다. 자를 이용한 방법과 자를 이용하지 않고 길이를 비교할 수 있는 다양한 방법을 찾아본다. 두께가 일정한 막대를 이용하여 무게를 비교하는 방법도 있다. 만든 재료가 같고 두께와 넓이가 일정하다면 무게가 더 많이 나가는 것이 더 긴 막대이다.

개수 \ 학용품	풀	지우개	연필	자
5			◯	
4			◯	
3		◯	◯	
2		◯	◯	◯
1	◯	◯	◯	◯

요소별 채점 기준	점수
주어진 자료를 활용하여 그래프를 정확히 그린 경우	5점

정답 및 해설

❷

- 일기 예보에서 기온의 변화나 비나 눈이 내린 양 등을 그래프로 나타낸다.
- 주식이나 환율, 유가 등의 변화를 그래프로 나타낸다.
- 시험을 보고 난 후 시험 점수의 변화를 그래프로 나타낸다.
- 오디오의 볼륨이나 소리의 크기를 그래프로 나타내는 경우가 있다.
- 스마트폰의 인터넷 접속 상태를 그래프로 나타낸다.
- 파일을 내려받거나 복사할 때, 그 상태를 그래프로 나타난다.

총체적 채점 기준	점수
한 가지 마다	2점

[해설]

❶ 그래프의 모양은 막대 그래프, 꺾은선 그래프 등의 여러 가지 모양으로 표현할 수 있다.

❷ 우리 생활에서 그래프가 사용된 곳을 찾아본다. 그래프는 자료 정리를 위해서 사용되기도 하지만 어떤 정보를 직관적으로 나타내기 위해 사용되는 경우도 많다. 오디오의 볼륨이나 스마트폰의 인터넷 접속 상태를 그래프로 나타내면 정보를 쉽게 전달할 수 있다.

예시답안

10

❶

- $44 \div 4 - 4 = 7$
- $4 - 4 + 4 + 4 = 8$, $4 \times 4 - 4 - 4 = 8$
- $4 \div 4 + 4 + 4 = 9$

총체적 채점 기준	점수
세 가지 식을 만든 경우	5점
두 가지 식을 만든 경우	3점
한 가지 식을 만든 경우	2점

❷

- $2 + 3 = 5$
- $2 \times 4 = 8$
- $3 + 4 = 7$
- $2 + 5 = 7$
- $3 + 5 = 8$
- $3 \times 4 = 5 + 7$
- $2 + 3 + 7 + 8 = 4 \times 5$
- $28 + 7 = 35$
- $37 + 5 = 42$

- $35 + 7 = 42$
- $38 + 7 = 45$
- $3 \times 8 = 24$
- $4 \times 7 = 28$
- $4 \times 8 = 32$
- $3 \times 7 + 4 = 25$
- $4 \times 8 + 5 = 37$
- $5 \times 7 + 8 = 43$

총체적 채점 기준	점수
한 가지 마다	1점

❶ 4개의 4와 사칙연산을 이용해 원하는 계산 결과가 나오는 식을 만든다. '+', '−', '×', '÷'가 같은 식에 나오는 경우 '×', '÷'를 먼저 계산하고 '+', '−'를 나중에 계산하며, '×', '÷'와 '+', '−'끼리는 나오는 순서대로 계산한다.

포포즈의 방법으로 0부터 10까지의 수를 나타내는 방법은 다음과 같다.

- $44-44=0$
- $(4+4-4)÷4=1$, $44÷44=1$, $(4+4)÷(4+4)=1$, $4÷4+4-4=1$
- $4÷4+4÷4=2$, $4×4÷(4+4)=2$
- $(4+4+4)÷4=3$, $(4×4-4)÷4=3$
- $(4-4)÷4+4=4$, $4+(4-4)×4=4$
- $(4×4+4)÷4=5$
- $(4+4)÷4+4=6$, $4+(4+4)÷4=6$
- $4+4-(4÷4)=7$, $4-(4÷4)+4=7$, $44÷4-4=7$
- $4×4-4-4=8$, $4-4+4+4=8$, $(4+4)×4÷4=8$
- $4÷4+4+4=9$, $4+4÷4+4=9$, $4+4+4÷4=9$
- $(44-4)÷4=10$

❷ '+'만 이용한 식, '×'만 이용한 식, '+'와 '×'를 이용한 식, 두 자리 수를 이용한 식, 우변에 '+' 또는 '×'을 이용한 식 등 다양한 식을 만들 수 있다.

문항 구성 및 채점표

평가영역 문항	수학 사고력		수학 창의성		수학 STEAM	
	개념 이해력	개념 응용력	유창성	독창성 및 융통성	문제 파악 능력	문제 해결 능력
11	점					
12	점					
13	점					
14		점				
15		점				
16			점	점		
17			점			
18			점			
19					점	점
20					점	점

평가영역별 점수	개념 이해력	개념 응용력	유창성	독창성 및 융통성	문제 파악 능력	문제 해결 능력
	수학 사고력		수학 창의성		수학 STEAM	
	/ 40점		/ 30점		/ 30점	

총점	

평가 결과에 따른 학습 방향

사고력	35점 이상	정확하게 답안을 작성하는 연습을 하세요.
	24~34점	교과 개념과 연관된 응용문제로 문제 적응력을 기르세요.
	23점 이하	틀린 문항과 관련된 교과 개념을 다시 공부하세요.
창의성	26점 이상	보다 독창성 및 융통성 있는 아이디어를 내는 연습을 하세요.
	18~25점	다양한 관점의 아이디어를 더 내는 연습을 하세요.
	17점 이하	적절한 아이디어를 더 내는 연습을 하세요.
STEAM	26점 이상	답안을 보다 구체적으로 작성하는 연습을 하세요.
	18~25점	문제 해결 방안의 아이디어를 다양하게 내는 연습을 하세요.
	17점 이하	실생활과 관련된 수학 기사로 수학적 사고를 확장하는 연습을 하세요.

· 풀이과정

▣×◗=180이고, ◗−▣=70이므로 ◗, ▣의 값을 구하면 다음과 같다.

▣×◗	18	18	18
◗가 나타내는 수	18	9	6
▣가 나타내는 수	1	2	3
◗−▣	17	7	3

따라서 ▣=2, ◗=90다.

· 답 : ▣=2, ◗=9

요소별 채점 기준	점수
풀이과정을 바르게 서술한 경우	6점
답을 구한 경우	2점

[해설]

▣×◗=18이므로 가장 먼저 두 수를 곱해 18이 되는 경우를 모두 찾는다.

1×18, 2×9, 3×6에서 ◗−▣=7을 만족하는 경우를 찾으면 문제를 해결할 수 있다. 이러한 문제를 해결할 때, 표를 이용하면 쉽고 빠르게 문제를 해결할 수 있다.

· 풀이과정

오각형의 변의 수는 5개, 원의 꼭짓점의 수는 0개, 사각형의 변의 수는 4개이다.

따라서 오각형의 변의 수−원의 꼭짓점의 수+사각형의 변의 수

=5−0+4=90다.

· 답 : 9

요소별 채점 기준	점수
풀이과정을 바르게 서술한 경우	6점
답을 구한 경우	2점

[해설]

오각형의 변과 꼭짓점의 수는 각각 5개이다.

원의 변과 꼭짓점의 수는 각각 0개이다.

사각형의 변과 꼭짓점의 수는 각각 4개이다.

정답 및 해설

13

- **풀이과정**

거울에 비친 시계의 모습이 위와 같을 때, 시계의 모습은 다음과 같다.

 ➡

따라서 병건이가 청소를 마친 시각은 오전 11시 18분이다.

청소를 시작한 시각이 9시 45분이었으므로

병건이가 청소를 마치는 데 걸린 시간은

11시 18분-9시 45분=1시간 33분=93분이다.

- **답 : 93분**

요소별 채점 기준	점수
풀이과정을 바르게 서술한 경우	6점
답을 구한 경우	2점

[해설]

거울에 비친 원래 시계가 가리키는 시각을 알아낸 후, 청소를 시작한 시각을 이용해 청소를 마치는 데 걸린 시간을 알아본다. 문제에서 걸린 시간을 분으로 표현하라고 하였으므로 반드시 구한 시간을 분으로 표현한다.

14

- **풀이과정**

2월의 세 번째 금요일의 날짜를 ☐라고 하면,

네 번째 금요일의 날짜는 ☐+7이다.

☐+☐+7=49이므로 ☐+☐=42, ☐=21이다.

따라서 네 번째 금요일의 날짜가 21+7=28이므로 3월 1일은 토요일이다.

- **답 : 토요일**

요소별 채점 기준	점수
풀이과정을 바르게 서술한 경우	6점
답을 구한 경우	2점

[해설]

일주일은 7일이므로 세 번째 금요일과 네 번째 금요일의 날짜의 차는 7일이다. 또 삼일절은 매년 3월 1일이므로 2월의 네 번째 금요일의 날짜를 구하면 삼일절의 요일을 구할 수 있다.

15

- **풀이과정**

2 m 40 cm의 길이를 3등분하면 한 조각은 80 cm이다.

4 m 20 cm의 길이를 4등분하면 한 조각은 1 m 5 cm이다.

이준이와 민석이가 가진 리본 조각 1개씩을 합하면

80 cm+1 m 5 cm=1 m 85 cm이다.

- **답**: 1 m 85 cm

요소별 채점 기준	점수
풀이과정을 바르게 서술한 경우	6점
답을 구한 경우	2점

[해설]

이준이가 가진 리본의 길이는 2 m 40 cm=240 cm이므로 같은 길이로 3등분하면 한 조각은 80 cm이다. 민석이가 가진 리본의 길이는 4 m 20 cm=420 cm이므로 같은 길이로 4등분하면 한 조각은 105 cm=1 m 5 cm이다.

16

- 빨간색, 파란색, 보라색. 초록색의 순서가 반복된다.
- 삼각형, 오각형, 칠각형이 반복된다.
- 도형 안에 있는 수는 2부터 2씩 증가한다.
- 각 도형의 변의 개수는 모두 홀수이다.
- 도형 안의 수는 모두 짝수이다.
- 모든 도형은 아래쪽은 평평한 변이고 위쪽은 뾰족한 꼭짓점의 방향으로 배열되어 있다.

※ 유창성 [6점]

총체적 채점 기준	점수
다섯 가지 방법을 서술한 경우	6점
네 가지 방법을 서술한 경우	5점
세가지 방법을 서술한 경우	4점
두가지 방법을 서술한 경우	3점
한 가지 방법을 서술한 경우	1점

※ 독창성 및 융통성 [4점]

요소별 채점 기준	점수
도형의 색이나 도형 안의 수의 규칙을 찾은 경우	2점
도혀의 변의 개수의 규칙을 찾은 경우	2점

[해설]

주어진 도형들의 모양, 색깔, 배치, 방향, 도형 안의 수, 변의 개수 등 다양한 규칙을 찾을 수 있다.

정답 및 해설

17

 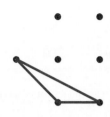 

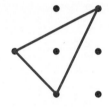 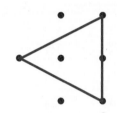

※ 유창성 [10점]

총체적 채점 기준	점수
한 가지 마다	2점

[해설]

삼각형 한 변의 길이가 점판의 가로 또는 세로의 1칸인 경우, 2칸인 경우, 대각선 1칸인 경우로 나누어 그릴 수 있는 삼각형의 모양을 모두 찾으면 다섯 가지를 더 찾을 수 있다. 돌리거나 뒤집어 겹쳐지는 모양은 한 가지로 보므로 겹치는 모양을 그리지 않도록 한다.

18

- 노란색 주머니에 7개, 빨간색 주머니에 2개, 파란색 주머니에 1개
- 노란색 주머니에 6개, 빨간색 주머니에 3개, 파란색 주머니에 1개
- 노란색 주머니에 5개, 빨간색 주머니에 4개, 파란색 주머니에 1개
- 노란색 주머니에 5개, 빨간색 주머니에 3개, 파란색 주머니에 2개

※ 유창성 [10점]

총체적 채점 기준	점수
네 가지 방법을 구한 경우	10점
세 가지 방법을 구한 경우	8점
두 가지 방법을 구한 경우	5점
한 가지 방법을 구한 경우	2점

[해설]

모든 주머니에 적어도 1개씩 과자가 들어가야 하고 노란색 주머니에 가장 많이, 파란색 주머니에 가장 적게 들어가도록 표를 만들면 다음과 같다.

노란색 주머니	7개	6개	5개	5개
빨간색 주머니	2개	3개	4개	3개
파란색 주머니	1개	1개	1개	2개

가장 많은 과자가 들어가는 노란색 주머니에 과자를 가장 많이 넣었을 때부터 과자의 개수를 1개씩 줄여가며 가능한 경우를 모두 구한다.

반대로 가장 적은 과자가 들어가는 파란색 주머니에 가장 적게 넣었을 때부터 과자의 개수를 1개씩 늘여가며 가능한 경우를 다음과 같이 구해도 된다.

파란색 주머니	1개	1개	1개	2개
빨간색 주머니	2개	3개	4개	3개
노란색 주머니	7개	6개	5개	5개

예시답안

19 ❶

×	1	2	3	4	5	6	7	8	9	10	11	12
1	1	2	3	4	5	6	7	8	9	10	11	12
2	2	4	6	8	10	12	14	16	18	20	22	24
3	3	6	9	12	15	18	21	24	27	30	33	36
4	4	8	12	16	20	24	28	32	36	40	44	48
5	5	10	15	20	25	30	35	40	45	50	55	60
6	6	12	18	24	30	36	42	48	54	60	66	72
7	7	14	21	28	35	42	49	56	63	70	77	84
8	8	16	24	32	40	48	56	64	72	80	88	96
9	9	18	27	36	45	54	63	72	81	90	99	108
10	10	20	30	40	50	60	70	80	90	100	110	120
11	11	22	33	44	55	66	77	88	99	110	121	132
12	12	24	36	48	60	72	84	96	108	120	132	144

요소별 채점 기준	점수
표를 바르게 완성한 경우	5점

②

- 2의 단 곱셈구구의 곱은 2씩, 3의 단 곱셈구구의 곱은 3씩 증가한다.
- 2, 4, 6, 8의 단 곱셈구구의 곱은 모두 짝수이다.
- 3, 5, 7, 9의 단 곱셈구구의 곱은 홀수와 짝수가 반복된다.
- 4의 단 곱셈구구의 곱에서 일의 자리 숫자는 4, 8, 2, 6, 0이 반복된다.
- 5의 단 곱셈구구의 곱의 십의 자리 숫자는 1, 1, 2, 2, …와 같이 같은 숫자가 2번씩 반복된다.
- 5의 단 곱셈구구의 곱의 일의 자리 숫자는 5, 0이 반복된다.
- 9의 단 곱셈구구의 곱의 각 자리 숫자의 합은 항상 9이다.
- 6의 단 곱셈구구의 곱은 3의 단 곱셈구구의 곱의 2배이다.
- 2×6=6×2와 같이 곱하는 두 수의 순서를 바꾸어도 그 결과가 같다.
- 3의 단 곱셈구구의 곱의 각 자리 숫자를 더하면 3, 6, 9가 반복된다.

총체적 채점 기준	점수
한 가지 규칙성을 서술한 경우 마다	1점

[해설]

① 곱셈구구표를 이용해 곱셈구구의 구성 원리를 찾을 수 있고, 곱셈의 교환법칙을 이해할 수 있다. 곱셈구구에서 찾을 수 있는 다양한 규칙성과 곱이 같은 식을 찾을 때도 곱곱구구표를 이용하면 쉽게 문제를 해결할 수 있다.

② 곱셈구구표나 각 단의 곱을 식으로 만들어 적어 보면 더욱 쉽게 규칙성을 찾을 수 있다. 또한, 각 단의 곱의 일의 자리 숫자의 규칙성이나 십의 자리 숫자의 규칙성을 찾을 수 있다.

예시답안

20

①

- 우유나 우유로 만든 것과 아닌 것
- 가공한 것과 가공하지 않은 것
- 조리 후 먹을 수 있는 것과 바로 먹을 수 있는 것
- 흐르는 성질이 있는 것과 아닌 것
- 노란색인 것과 아닌 것
- 공 모양인 것과 아닌 것
- 식물에서 유래한 것과 동물에서 유래한 것

총체적 채점 기준	점수
한 가지 마다	1점

②

- 같은 종류의 물건을 판매하는 상점이나 매장을 가까이 모아 두어 손님이 필요한 물건을 쉽게 찾을 수 있도록 한다.
- 마트나 쇼핑몰에서는 층별로, 구역별로 판매하는 물품을 분류하여 손님들이 물건을 쉽게 찾고 비슷한 물건을 한 자리에서 비교해 볼 수 있도록 한다.

- 서점이나 도서관에서는 책을 종류별로 분류하여 원하는 책을 쉽게 찾고, 책을 정리하는 사람도 쉽게 정리할 수 있도록 한다.
- 과일 가게에서 판매하는 과일은 크기별로 분류되어 크기별 또는 용도와 가격에 맞게 살 수 있도록 한다.

요소별 채점 기준	점수
세 가지를 서술한 경우	10점
두 가지를 서술한 경우	6점
한 가지를 서술한 경우	3점

[해설]

❶ 분류 기준은 다양하게 정할 수 있다. 분류 기준을 정할 때 유의할 점은 주어진 모든 사물을 분류할 수 있어야 하며, 그 기준이 명확하여 누가 분류하던지 그 결과가 같게 나오는 기준이어야 한다.

❷ 도서관이나 서점에서는 비슷한 종류의 책들로 분류하여 보관, 판매하고 있다. 이것은 책을 팔거나 대출할 때뿐만 아니라 책을 정리할 때도 도움이 된다. 큰 쇼핑몰은 판매하는 물건을 종류에 따라 분류해 진열하므로 원하는 물건을 찾아가면 비슷한 물건이 주위에 진열되어 있어 다른 물건과 쉽게 비교해 볼 수 있다.

문항 구성 및 채점표

평가영역 문항	수학 사고력		수학 창의성		수학 STEAM	
	개념 이해력	개념 응용력	유창성	독창성 및 융통성	문제 파악 능력	문제 해결 능력
21	점					
22		점				
23	점					
24		점				
25	점					
26			점			
27			점	점		
28			점	점		
29					점	점
30					점	점

평가영역별 점수	개념 이해력	개념 응용력	유창성	독창성 및 융통성	문제 파악 능력	문제 해결 능력
	수학 사고력		수학 창의성		수학 STEAM	
	/ 40점		/ 30점		/ 30점	

총점	

평가 결과에 따른 학습 방향

사고력	35점 이상	정확하게 답안을 작성하는 연습을 하세요.
	24~34점	교과 개념과 연관된 응용문제로 문제 적응력을 기르세요.
	23점 이하	틀린 문항과 관련된 교과 개념을 다시 공부하세요.
창의성	26점 이상	보다 독창성 및 융통성 있는 아이디어를 내는 연습을 하세요.
	18~25점	다양한 관점의 아이디어를 더 내는 연습을 하세요.
	17점 이하	적절한 아이디어를 더 내는 연습을 하세요.
STEAM	26점 이상	답안을 보다 구체적으로 작성하는 연습을 하세요.
	18~25점	문제 해결 방안의 아이디어를 다양하게 내는 연습을 하세요.
	17점 이하	실생활과 관련된 수학 기사로 수학적 사고를 확장하는 연습을 하세요.

- **풀이과정**

  C는 A보다 적은 수의 붙임 딱지를 모았다.

  221>◆93이므로 ◆=1이다.

  B는 A보다 적은 수의 붙임 딱지를 모았다.

  221>2■30이므로 ■로 가능한 수는 0, 1이다.

  이때 ◆=1이고, 가려진 숫자가 모두 다른 숫자이므로 ■=0이다.

  D는 C보다 적은 수의 붙임 딱지를 모았다.

  93>9●이므로 ●으로 가능한 수는 0, 1, 2이다.

  이때, ◆=1, ■=0이므로 ●=2이다.

  그러므로 네 학생이 모은 붙임 딱지의 수는

  A=221, B=203, C=193, D=192이다.

- **답** : A=221, B=203, C=193, D=192

요소별 채점 기준	점수
풀이과정을 바르게 서술한 경우	6점
답을 구한 경우	2점

[해설]

네 학생이 모은 붙임 딱지의 수를 구하기 위해 붙임 딱지의 수를 서로 비교해야 한다. 두 수를 비교할 때, 일의 자리 숫자는 일의 자리 숫자끼리, 십의 자리 숫자는 십의 자리 숫자끼리와 같이 자리 숫자가 같은 수를 먼저 비교한다. 만약 같은 자리 숫자에 같은 숫자가 온다면 그다음 자리 숫자를 비교해 수의 대소를 알아낸다. 이 문제의 조건에서 가려진 모든 숫자는 서로 다른 숫자이므로 네 학생이 가진 붙임 딱지의 수를 비교하여 가려진 자리에 들어갈 수 있는 모든 숫자를 나열한 다음 조건에 맞는 숫자를 찾는다. 또한, 조건에 맞는 숫자의 범위가 적은 백의 자리 숫자부터 십의 자리 숫자, 일의 자리 숫자 순으로 비교하면 좀 더 빠르게 수를 찾을 수 있다.

- **풀이과정**

  빨간색 삼각형과 검은색 삼각형의 개수를 표로 나타내면 다음과 같다.

구분	첫 번째	두 번째	세 번째	네 번째	다섯 번째	여섯 번째	일곱 번째
빨간색 삼각형의 개수	1	3	6	10	15	21	28
		+2	+3	+4	+5	+6	+7
검은색 삼각형의 개수	0	1	3	6	10	15	21
		+1	+2	+3	+4	+5	+6

따라서 일곱 번째 모양에서 빨간색 삼각형이 검은색 삼각형보다
28개−21개=7개가 더 많다.

- 답 : 빨간색 삼각형이 7개 더 많다.

요소별 채점 기준	점수
풀이과정을 바르게 서술한 경우	6점
답을 구한 경우	2점

[해설]

나열된 모양에 따라 빨간색 삼각형과 검은색 삼각형의 개수를 나열해 보면 1, 2, 3, 4, 5, 6, 7, …로 증가한다.

모범답안

23

- 풀이과정

두 번째 정류장을 지나기 전 버스 승객의 수는 25명−3명=22명이다.

첫 번째 정류장을 지나기 전 버스 승객의 수는 22명+2명−6명=18명이다.

따라서 처음 버스에 타고 있던 승객의 수는 18명이다.

- 답 : 18명

요소별 채점 기준	점수
풀이과정을 바르게 서술한 경우	6점
답을 구한 경우	2점

[해설]

두 번째 정류장을 지나고 난 후 승객의 수를 이용해 거꾸로 계산하면 처음 버스에 타고 있던 승객의 수를 구할 수 있다. 만약 버스 정류장에서 2명의 승객이 탔다면 버스 정류장을 지나기 전에는 그보다 2명 적은 승객이 타고 있었을 것이다.

다음과 같은 방법으로 구할 수도 있다.

처음 버스에 타고 있었던 승객의 수를 □라고 하면, □−2명+6명+3명=25명이므로 □=18명이다.

24

• 규칙
삼각형의 오른쪽 또는 아래쪽에 있는 수의 합이 삼각형 안의 수이다.

• 답

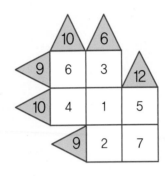

요소별 채점 기준	점수
규칙을 서술한 경우	4점
퍼즐을 완성한 경우	4점

[해설]

퍼즐을 완성하기 위해 규칙을 찾고, 문제에서 주어진 조건인 1~7까지의 수를 한 번씩만 사용하여 퍼즐을 완성한다.

퍼즐에서 삼각형 안의 가장 작은 수인 6은 세 수의 합이므로 가능한 수는 1, 2, 3이다.

퍼즐에서 삼각형 안의 가장 큰 수인 12는 두 수의 합이므로 가능한 수는 5, 7이다.

세로 삼각형 안의 수 중 10은 두 수의 합이므로 가능한 수는 1~7까지의 수 중 남은 두 수 4, 6이다.

가로 삼각형 안의 수 중 10은 세 수의 합이므로 가능한 수는 위 세 가지 경우에 맞는 수 중 왼쪽부터 4, 1, 5이다.

나머지 수는 삼각형 안의 수에 맞게 넣으면 퍼즐을 완성할 수 있다.

25

• 풀이과정
비행기를 타고 오는 데 걸리는 시간이 2시간이므로 우리나라에 도착한 시각을 중국 베이징 시각으로 나타
내면 오전 11시 45분+2시간=오후 1시 45분이다.
우리나라와 베이징의 시차는 1시간이므로 베이징 시각에서 1시간을 더해
주면 우리나라 시각이 된다. 따라서 우리나라에 도착한 시각은 우리나라
시각으로 오후 2시 45분이다.

요소별 채점 기준	점수
풀이과정을 바르게 서술한 경우	6점
답을 구한 경우	2점

• 답 : 오후 2시 45분

정답 및 해설

[해설]

둥근 공 모양의 지구는 매일 1바퀴씩 자전을 하므로 위치에 따라 태양을 마주하는 시각이 달라진다. 이 때문에 지역마다 서로 다른 표준 시각을 사용하며, 두 지역의 표준 시각의 차를 시차라고 한다. 우리나라는 크기가 크지 않고 국토의 동-서의 길이도 길지 않아 모두 같은 표준 시각을 사용하지만, 미국이나 러시아, 캐나다와 같이 나라가 크고 특히 동-서의 길이가 긴 나라의 경우에는 같은 나라에서도 서로 다른 표준 시각을 사용하므로 시차가 발생하기도 한다.

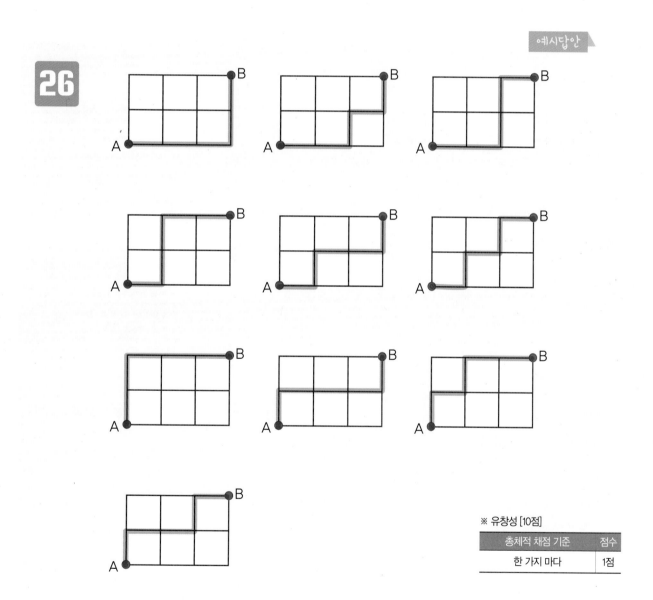

26

예시답안

※ 유창성 [10점]

총체적 채점 기준	점수
한 가지 마다	1점

A에서 B로 갈 수 있는 방법 중 최단 경로만을 찾아야 한다. A에서 B까지 가는 최단 경로의 가짓수를 찾는 방법은 다음과 같다.

따라서 A에서 B까지 가는 가장 빠른 길은 모두 열 가지이다.

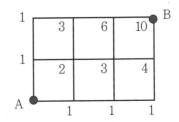

27

- 모든 줄의 양 끝수는 1이다.
- 양 끝수를 제외한 윗줄 두 수의 합이 다음 줄의 수가 된다.
- 가운데를 기준으로 접으면 서로 마주 보는 수가 같다.
- 모든 줄의 두 번째 수들을 순서대로 나열하면 1, 2, 3, 4, …와 같이 1씩 커지는 수이다.
- 각 줄의 수들의 합은 2, 4, 8, 16, 32, …와 같이 2배씩 늘어난다.

※ 유창성 [6점]

총체적 채점 기준	점수
다섯 가지 방법을 서술한 경우	6점
네 가지 방법을 서술한 경우	4점
세가지 방법을 서술한 경우	3점
두가지 방법을 서술한 경우	2점
한 가지 방법을 서술한 경우	1점

※ 독창성 및 융통성 [4점]

요소별 채점 기준	점수
수 배열 규칙을 서술한 경우	2점
합을 이용한 수 배열 규칙을 서술한 경우	2점

[해설]

주어진 수 배열표는 파스칼의 삼각형이다. 규칙을 가진 수 배열표를 보면 수 배열과 관련된 규칙, 수들의 합과 관련된 규칙 등 다양한 규칙을 찾을 수 있다.

28
- 카메라 삼각대
- 알코올램프와 함께 사용하는 삼발이
- 다리를 튼튼하게 만드는 데 사용하는 삼각형 구조(트러스 구조)
- 세발자전거
- 옷걸이의 모양
- 지하철 손잡이
- 교통 표지판
- 에펠탑이나 타워크레인
- 건물의 지붕
- 탁상용 달력 옆면

※ 유창성 [6점]

총체적 채점 기준	점수
10가지 경우를 서술한 경우	6점
9~8가지를 서술한 경우	5점
7~6가지를 서술한 경우	4점
5~4가지를 서술한 경우	3점
3~2가지를 서술한 경우	2점
1가지를 서술한 경우	1점

※ 독창성 및 융통성 [4점]

요소별 채점 기준	점수
삼각형 모양과 관련된 것을 서술한 경우	2점
삼각형 구조와 관련된 것을 서술한 경우	2점

[해설]

주변에서 삼각형이 사용된 곳을 찾는다. 단순히 삼각형 모양을 사용한 물건들도 있지만, 삼각형의 특징을 이용하기 위한 물건들도 많다. 각 물건에 왜 삼각형 모양이 사용되었는지도 함께 생각해 보도록 한다.

◑ 삼각대

◑ 세발자전거

◑ 교통 표지판

◑ 에펠탑

◑ 지붕

◑ 삼발이

◑ 옷걸이

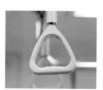
◑ 지하철 손잡이

◑ 트러스 구조

◑ 탁상용 달력 옆면

29

❶
- 자동차 번호판
- 우편번호
- 전화번호
- 버스 번호
- 주민등록번호
- 제품의 고유 번호(시리얼 넘버)
- 아파트의 동이나 호수
- 버스나 기차의 좌석 번호

총체적 채점 기준	점수
한 가지 마다	1점

❷
- 파란동, 노란동, 빨간동 등과 같이 색으로 표현한다.
- 가, 나, 다 등과 같이 한글이나 ㄱ, ㄴ, ㄷ 등과 같이 자음으로 표현한다.
- A, B, C 등과 같이 알파벳으로 표현한다.
- 토끼동, 사자동, 사슴동 등과 같이 동물의 이름으로 표현한다.
- 영국, 미국, 일본 등과 같이 나라 이름을 사용해 표현한다.
- 수학, 과학, 국어, 영어 등과 같이 교과 이름을 사용해 표현한다.

총체적 채점 기준	점수
한 가지 마다	2점

[해설]

❶ 이름처럼 사용된 수를 명목수라고 한다. 명목수는 사물의 구분을 쉽게 하기 위해 각 물건과 수를 대응시켜 이름처럼 사용한다. 이 외에도 아파트의 동, 호수, 버스나 기차의 좌석 번호 등도 명목수의 용도로 사용된다.

❷ 명목수를 대신해 사용되기 위해서는 다른 것과 구분되어야 하고 이름을 붙이고 사용하기 쉬워야 하며, 여러 가지를 표현할 수 있을 만큼 다양해야 한다. 숫자와 마찬가지로 특정한 단어나 기호를 아파트의 각 동과 대응시켜 사용할 수 있는 경우를 찾아본다.

30

❶
- **풀이과정**
  1000원짜리의 긴 변의 길이는 13 cm 6 mm이므로
  이것의 3배는 39 cm 18 mm=40 cm 8 mm이다.

- **답** : 40 cm 8 mm

요소별 채점 기준	점수
풀이과정을 바르게 서술한 경우	3점
답을 구한 경우	2점

정답 및 해설

❷

- 축구경기에서 공격권을 결정할 때 동전을 던져서 결정한다.
- 동전의 무게는 일정하므로 무게를 모르는 물체의 무게를 가늠할 때 사용할 수 있다.
- 지폐의 길이와 넓이는 일정하므로 길이와 넓이를 모르는 물체의 길이와 넓이를 가늠할 때 사용할 수 있다.
- 동전은 원 모양이므로 원을 그리는 데 사용할 수 있다.
- 동전 마술에 사용할 수 있다.
- 지폐를 접거나 동전의 무늬를 이용해 미술 작품을 만들 수 있다.

총체적 채점 기준	점수
아이디어 한 가지 마다	2점

[해설]

❶ 10 mm는 1 cm와 같다. 1000원짜리의 긴 부분 길이를 3배한 것의 길이를 39 cm 18 mm로 나타내지 않도록 주의한다.

❷ 동전과 지폐의 모양이나 특징을 이용해 돈이 아닌 다른 용도로 사용할 수 있는 아이디어를 찾아본다. 동전이나 지폐를 자르거나 훼손하는 것은 법으로 금지되어 있으나 제한을 두지 않고 다양한 아이디어를 찾도록 한다.

문항 구성 및 채점표

평가영역 문항	수학 사고력		수학 창의성		수학 STEAM	
	개념 이해력	개념 응용력	유창성	독창성 및 융통성	문제 파악 능력	문제 해결 능력
31	점					
32		점				
33	점					
34		점				
35	점					
36			점	점		
37			점			
38			점			
39					점	점
40					점	점

평가영역별 점수	개념 이해력	개념 응용력	유창성	독창성 및 융통성	문제 파악 능력	문제 해결 능력
	수학 사고력		수학 창의성		수학 STEAM	
	/ 40점		/ 30점		/ 30점	

총점	

평가 결과에 따른 학습 방향

사고력	35점 이상	정확하게 답안을 작성하는 연습을 하세요.
	24~34점	교과 개념과 연관된 응용문제로 문제 적응력을 기르세요.
	23점 이하	틀린 문항과 관련된 교과 개념을 다시 공부하세요.

창의성	26점 이상	보다 독창성 및 융통성 있는 아이디어를 내는 연습을 하세요.
	18~25점	다양한 관점의 아이디어를 더 내는 연습을 하세요.
	17점 이하	적절한 아이디어를 더 내는 연습을 하세요.

STEAM	26점 이상	답안을 보다 구체적으로 작성하는 연습을 하세요.
	18~25점	문제 해결 방안의 아이디어를 다양하게 내는 연습을 하세요.
	17점 이하	실생활과 관련된 수학 기사로 수학적 사고를 확장하는 연습을 하세요.

정답 및 해설

31

• 풀이과정

한 자리 수는 1~9까지로 9-1+1=9개의 숫자이다.

따라서 키보드를 9번 쳐야 한다.

두 자리 수는 10~35까지로 35-10+1=26, 26×2=52개의 숫자이다.

따라서 키보드를 52번 쳐야 한다.

1~35까지 쳐야 할 키보드는 9번+52번=61번이다.

• 답 : 61

요소별 채점 기준	점수
풀이과정을 바르게 서술한 경우	6점
답을 구한 경우	2점

[해설]

수와 숫자의 의미를 알고 문제를 해결한다.

연속된 수의 개수는 (큰 수-작은 수+1)로 구할 수 있다. 하나의 숫자가 사용된 한 자리 수와 두 개의 숫자가 사용된 두 자리 수로 나누어 수의 개수를 구하고, 사용된 숫자의 개수를 구한다. 숫자의 개수를 구하기 위해 모든 수를 나열하기보다는 사용된 숫자에 따라 수를 구분하여 문제를 해결한다.

32

• 풀이과정

거울에 비친 식을 원래대로 나타내면 다음과 같다.

72-가=18,

나+56=96이다.

따라서 가=72-18=54이고, 나=96-56=40이다.

거울에 비친 모습은 좌우가 바뀌므로 가는 54, 나는 04이다.

• 답 : 가=54, 나=04

요소별 채점 기준	점수
풀이과정을 바르게 서술한 경우	6점
답을 구한 경우	2점

[해설]

거울에 비친 식은 좌우가 바뀌어 있으므로 좌우를 바꾸면 원래 식으로 나타낼 수 있다. 0, 1, 8과 같은 숫자는 거울에 비추어도 그 모양이 변하지 않고, 9는 6과, 2는 5와 거울에 비친 모양이 비슷하므로 잘 구분해야 한다.

33

• 풀이과정

혜원이의 나이와 쌍둥이 동생들의 나이의 합을 표로 나타내면 다음과 같다.

구분	올해	1년 후	2년 후	3년 후	4년 후	5년 후
혜원이 나이	9살	10살	11살	12살	13살	14살
쌍둥이 동생 나이	2살	3살	4살	5살	6살	7살
동생들의 나이 합	4살	6살	8살	10살	12살	14살

• 답 : 5년 후

요소별 채점 기준	점수
풀이과정을 바르게 서술한 경우	6점
답을 구한 경우	2점

[해설]

1년이 지날 때마다 혜원이와 쌍둥이 동생들의 나이가 1살씩 늘어난다. 1년이 지날 때마다 혜원이의 나이와 동생들의 나이의 합의 차가 1씩 줄어드는 규칙도 발견할 수 있다.

34

• 규칙

10에서 □ 안의 두 수의 곱을 뺀 값이 △ 안의 수이다.

• 풀이과정

△ 안의 수가 5이므로 5×⎣?⎦=5가 되어야 한다.
따라서 ⎣?⎦ 안에 들어갈 수는 1이다.

• 답 : 1

요소별 채점 기준	점수
풀이과정을 바르게 서술한 경우	4점
규칙을 바르게 서술한 경우	2점
답을 구한 경우	2점

[해설]

주어진 수들 사이의 합과 차, 곱 등의 연산을 이용한 규칙이 있는지 찾아본다. 주어진 수나 연산 결과를 나열해 보면 쉽게 규칙을 찾을 수 있다.

□ 안의 두 수를 곱한 값과 △안의 수를 각각 순서대로 나열해 보면 2와 8, 3과 7, 8과 2, 9와 1이므로 10에서 □ 안의 두 수의 곱을 뺀 값이 △ 안의 수이다.

35

- **풀이과정**

  2시 30분에서 긴 바늘을 반의반 바퀴를 돌리면 2시 45분이고,

  2시 45분에서 긴 바늘을 반 바퀴를 돌리면 3시 15분이며

  3시 15분에서 긴 바늘을 한 바퀴 돌리면 4시 15분이다.

- **답 : 4시 15분**

요소별 채점 기준	점수
풀이과정을 바르게 서술한 경우	6점
답을 구한 경우	2점

[해설]

시계의 긴 바늘을 반의반 바퀴를 돌린 후의 시각은 15분이 지난 시각이고, 긴 바늘을 반 바퀴 돌린 후의 시각은 30분이 지난 시각이고, 긴 바늘을 한 바퀴 돌린 후의 시각은 1시간이 지난 시각이다.

36

- **공통점**

  -음식이 들어 있다.

  -원기둥 모양이다.

  -금속으로 되어 있다.

  -용기 바닥이 둥근 모양이다.

  -모두 슈퍼나 마트에서 살 수 있다.

- **차이점**

  -들어 있는 음식이 다르다.

  -색깔이 다르다.

  -참치는 고체이고, 콜라는 액체이다.

  -콜라를 열면 가스가 나온다.

  -높이가 다르다.

※ 유창성 [8점]

총체적 채점 기준	점수
공통점과 차이점 각 한 가지 마다	1점

※ 독창성 및 융통성 [2점]

요소별 채점 기준	점수
수학적인 공통점을 서술한 경우	1점
수학적인 차이점을 서술한 경우	1점

[해설]

모양과 같은 수학적인 내용뿐만 아니라 재질과 내용물과 같은 다양한 공통점과 차이점을 찾는다.

37

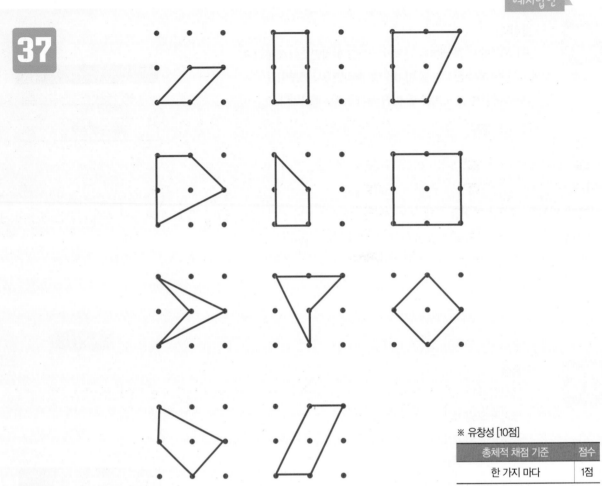

※ 유창성 [10점]

총체적 채점 기준	점수
한 가지 마다	1점

[해설]

모양과 크기, 넓이가 다른 다양한 모양의 사각형을 찾을 수 있다. 다음과 같이 9개 점판의 범위를 넘어서 그린 것은 점수로 인정하지 않는다.

점수 인정 안됨   점수 인정 안됨   점수 인정 안됨

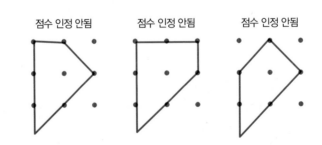

정답 및 해설

38

- 서현–수연–초아
- 서현–초아–수연
- 수연–서현–초아
- 수연–초아–서현
- 초아–서현–수연
- 초아–수연–서현

예시답안

※ 유창성 [10점]

총체적 채점 기준	점수
여섯 가지를 구한 경우	10점
다섯 가지를 구한 경우	8점
네 가지를 구한 경우	6점
세 가지를 구한 경우	4점
두 가지를 구한 경우	2점
한 가지를 구한 경우	1점

[해설]

세 사람의 발표 순서를 정할 수 있는 경우의 수는 모두 6가지이다. 모든 경우의 수를 빠짐없이 구하기 위해서는 처음 발표할 사람을 정하고 그 뒤에 발표할 사람의 순서를 정한다.

예시답안

39 ❶

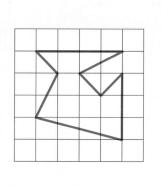
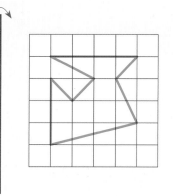

요소별 채점 기준	점수
뒤집은 모양을 정확히 그린 경우	5점

❷

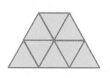

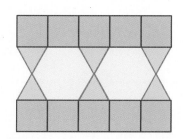
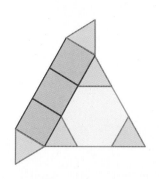

요소별 채점 기준	점수
한 가지 마다	2점

정답 및 해설 **33**

❶ 뒤집기의 경우 도형의 선대칭, 또는 선대칭의 위치라고 할 수 있다. 아직 교과 내용에 대칭에 대한 내용이 나오지 않으므로 뒤집기로 이해한다. 뒤집는 기준이 되는 선을 기준으로 같은 거리에 있는 점을 찾아 찍으면 뒤집기 한 도형을 쉽게 그릴 수 있다.

❷ 평면에서의 테셀레이션은 한 점에 모이는 평면도형의 내각의 크기가 360°가 되어야 한다. 삼각형 6개, 사각형 4개, 육각형 3개를 이용하면 한 가지의 도형만으로도 테셀레이션을 완성할 수 있다. 2가지 이상의 도형을 이용해 테셀레이션을 할 경우 각 다각형의 내각의 크기를 이용해 360°가 되는 경우를 찾아 다양한 모양을 만들 수 있다.

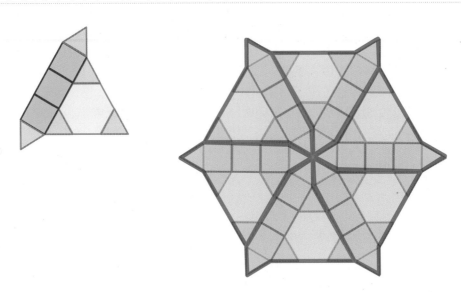

40

❶

[수학 점수]

점수(점)	71~80	81~90	91~100
학생 수(명)	4	3	3

요소별 채점 기준	점수
표를 바르게 완성한 경우	5점

❷

• 설문 조사의 결과를 표로 나타낸다.

• 선거 결과를 표로 나타낸다.

• 인구나 통계조사에서 표를 이용해 결과를 나타낸다.

• 일기예보에서 기온과 강수 확률과 같은 자료를 표로 나타낸다.

• 신문이나 광고지의 할인 정보와 같은 내용을 표로 나타낸다.

• 학교 수업 시간을 표로 만든 것이 시간표이다.

• 나의 생활 계획을 표로 만든 것이 생활 계획표이다.

• 수학 문제를 해결할 때 표를 이용하면 문제가 쉽게 해결되는 경우가 있다.

• 마트의 물건에 가격과 원산지 등을 표로 보기 쉽게 붙여 놓았다.

• 식당에서 메뉴판이나 계산서에 메뉴의 종류와 메뉴의 개수, 가격 등을 표로 나타낸다.

• 과자나 음료수의 포장지에 성분이나 열량을 표로 나타낸다.

• 달력은 요일과 날짜를 적어놓은 표이다.

총체적 채점 기준	점수
한 가지 마다	1점

[해설]

❶ 주어진 자료를 분석하여 표를 만든다. 자료의 개수를 세어 표를 만들 경우 자료를 중복해서 세거나 빠뜨리지 않도록 유의하여 표를 완성하고 학생 수의 합이 전체 학생 수와 같은지 확인한다.

❷ 달력이나 수업 시간표, 메뉴판과 같이 우리가 표라고 생각하지 못했던 것들도 표를 활용한 것이다. 우리가 쉽게 접할 수 있는 여러 곳에서 표를 찾을 수 있다.

문항 구성 및 채점표

평가영역 / 문항	수학 사고력		수학 창의성		수학 STEAM	
	개념 이해력	개념 응용력	유창성	독창성 및 융통성	문제 파악 능력	문제 해결 능력
41	점					
42	점					
43		점				
44		점				
45	점					
46			점			
47			점	점		
48			점	점		
49					점	점
50					점	점

평가영역별 점수	개념 이해력	개념 응용력	유창성	독창성 및 융통성	문제 파악 능력	문제 해결 능력
	수학 사고력		수학 창의성		수학 STEAM	
	/ 40점		/ 30점		/ 30점	

총점	

평가 결과에 따른 학습 방향

사고력	35점 이상	정확하게 답안을 작성하는 연습을 하세요.
	24~34점	교과 개념과 연관된 응용문제로 문제 적응력을 기르세요.
	23점 이하	틀린 문항과 관련된 교과 개념을 다시 공부하세요.
창의성	26점 이상	보다 독창성 및 융통성 있는 아이디어를 내는 연습을 하세요.
	18~25점	다양한 관점의 아이디어를 더 내는 연습을 하세요.
	17점 이하	적절한 아이디어를 더 내는 연습을 하세요.
STEAM	26점 이상	답안을 보다 구체적으로 작성하는 연습을 하세요.
	18~25점	문제 해결 방안의 아이디어를 다양하게 내는 연습을 하세요.
	17점 이하	실생활과 관련된 수학 기사로 수학적 사고를 확장하는 연습을 하세요.

정답 및 해설

모범답안

41

• 풀이과정

숫자 4가 일의 자리에 들어간 수는 4, 14, 24, 34, 44, 54의 6개이다.

숫자 4가 십의 자리에 들어간 수는 40, 41, 42, 43, 44, 45, 46, 47, 48, 49의 10개이다. 이 중 44는 두 번 포함되었으므로 빼야 하는 층의 개수는 6+10-1=15층이다. 따라서 건물의 실제 층수는 63층-15층=48층이다.

• 답 : 48층

요소별 채점 기준	점수
풀이과정을 바르게 서술한 경우	6점
답을 구한 경우	2점

[해설]

1부터 63까지 수 중에서 4가 들어간 수를 뺀, 나머지 수의 개수를 구한다. 일의 자리에 4가 들어간 수와 십의 자리에 4가 들어간 수를 구하면 일의 자리와 십의 자리에 모두 4가 들어간 44를 두 번 빼게 되므로 주의한다.

모범답안

42

• 풀이과정

A는 B, C, D, E와 경기를 해야 하므로 4경기

B는 이미 A와는 경기를 했고, C, D, E와 경기를 해야 하므로 3경기

C는 이미 A, B와 경기를 했고, D, E와 경기를 해야 하므로 2경기

D는 이미 A, B, C와 경기를 했고, E와 경기를 해야 하므로 1경기

따라서 4+3+2+1=10이므로

우승자를 가리기 위해서는 모두 10경기를 해야 한다.

• 답 : 10경기

요소별 채점 기준	점수
풀이과정을 바르게 서술한 경우	6점
답을 구한 경우	2점

[해설]

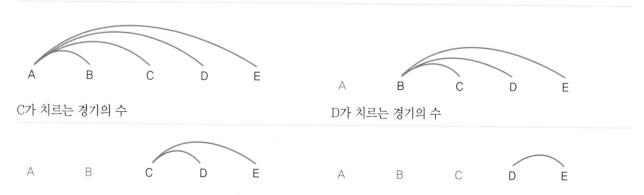

A가 치르는 경기의 수

B가 치르는 경기의 수

C가 치르는 경기의 수

D가 치르는 경기의 수

• 풀이과정

문제의 조건에 맞게 표를 그리면 다음과 같다.

리지가 가진 사탕	1개	2개	3개	4개	5개
우주가 가진 사탕	2개	4개	6개	8개	10개
서준이가 가진 사탕	1개	3개	5개	7개	9개
사탕 개수의 합	4개	9개	14개	19개	24개

따라서 24개의 사탕을 리지가 5개, 우주가 10개, 서준이가 9개로 나누어 가졌다.

요소별 채점 기준	점수
풀이과정을 바르게 서술한 경우	6점
답을 구한 경우	2점

• 답 : 9개

[해설]

우주가 가진 사탕의 개수는 서준이가 가진 사탕의 개수보다 1개 더 많고, 리지가 가진 사탕의 개수의 2배가 되도록 표를 만들고 사탕 개수의 합이 24개가 되는 경우를 찾는다.

• 풀이과정

달력에서 (가)를 □라고 할 때, 색칠된 칸의 날짜들을 □를 이용해 표현하면 □, □+1, □+7, □+8로 나타낼 수 있다. 따라서 색칠된 부분의 날짜의 합은

□+□+1+□+7+□+8=76이므로

□+□+□+□=60, □=15이다.

요소별 채점 기준	점수
풀이과정을 바르게 서술한 경우	6점
답을 구한 경우	2점

• 답 : 15일

[해설]

달력의 날짜에서 다양한 규칙을 찾을 수 있다. 가로로 배열된 날짜는 1씩 증가하는 수이며, 일주일은 7일이므로 세로로 배열된 날짜는 7씩 증가한다. 따라서 색칠된 부분의 날짜를 □를 이용해 나타내면 다음과 같다.

□	□+1
□+7	□+8

45

• 풀이과정

창고 (가)에서 창고 (나)로 모래를 3자루를 옮기면,

창고 (가)에서 하루 동안 모래가 3자루씩 줄어들고,

창고 (나)에서 모래가 3자루씩 늘어난다.

날짜가 지남에 따라 창고 (가)와 창고 (나)의 모래의 자루 수를 표로 나타내어 보면 다음과 같다.

구분	처음	1일째	2일째	3일째	4일째	5일째
창고 (가)	55	52	49	46	43	40
창고 (나)	5	8	11	14	17	20
창고(나)×2	10	16	22	28	34	40

따라서 5일째가 되었을 때 창고 (가)에 있는 모래의 양이 창고 (나)에 있는 모래의 양의 2배가 된다.

• 답 : 5일째

요소별 채점 기준	점수
풀이과정을 바르게 서술한 경우	6점
답을 구한 경우	2점

[해설]

날짜가 지남에 따라 창고 (가)와 창고 (나)의 모래의 자루 수는 다음과 같다.

• 1일째 : 52자루, 8자루

• 2일째 : 49자루, 11자루

• 3일째 : 46자루, 14자루

• 4일째 : 43자루, 17자루

• 5일째 : 40자루, 20자루

따라서 5일째가 되었을 때 창고 (가)에 있는 모래의 양이 창고 (나)에 있는 모래의 양의 2배가 된다.

46

※ 유창성 [10점]

총체적 채점 기준	점수
8가지를 찾은 경우	10점
7가지를 찾은 경우	8점
6~5가지를 찾은 경우	6점
4~3가지를 찾은 경우	4점
2~1가지를 찾은 경우	2점

[해설]

사각형을 이루는 도형의 개수가 1개일 때, 2개일 때, 3개일 때, 4개일 때로 나누어 그릴 수 있는 사각형을 모두 8가지를 찾을 수 있다.

정답 및 해설

47

- 두 도형에 크기가 일정하고 작은 물건(동전, 콩)을 채운다. 물건이 더 많이 들어가는 것이 더 넓은 도형이다.
- 두 도형을 작은 칸이 나누어진 모눈종이 위에 올리고 그린다. 더 많은 칸이 들어가는 것이 더 넓은 도형이다.
- 두 도형을 같은 두께와 같은 재질의 종이에 그려 오린 다음 오린 종이의 무게를 비교한다. 무거운 것이 더 넓은 도형이다.
- 두 도형을 작게 잘라 넓이를 알 수 있는 다른 종이에 붙여 넓이를 비교한다.
- 두 도형의 둘레의 길이를 비교한다. 두 도형의 경우 둘레의 길이가 더 긴 도형이 넓이가 넓다.
- 두 도형을 겹쳐서 겹치지 않는 부분의 넓이를 비교한다.

총체적 채점 기준	점수
다섯 가지 방법을 찾은 경우	6점
네 가지 방법을 찾은 경우	4점
세 가지 방법을 찾은 경우	3점
두 가지 방법을 찾은 경우	2점
한 가지 방법을 찾은 경우	1점

※ 독창성 및 융통성 [4점]

요소별 채점 기준	점수
작은 면적의 도구를 이용한 방법을 서술한 경우	2점
무게를 이용한 방법을 서술한 경우	2점

[해설]

두 도형은 타원과 칠각형이다. 아직 평면도형의 넓이를 구하는 방법을 배우지 않았고 배웠더라도 타원과 칠각형의 넓이를 계산하는 것은 쉽지 않다. 직관적인 방법과 단위 넓이를 응용한 다양한 방법으로 두 도형의 넓이를 비교한다.

48

- 운동장에 한 줄에 4개씩 3줄의 의자가 놓여 있다. 5개의 의자를 더하면 의자의 수는 모두 몇 개인지 구하시오.
- 매일 4장씩 3일 동안 책을 읽었더니 5장이 남았다. 책은 모두 몇 장인지 구하시오.
- 4개씩 들어있는 초콜릿 3봉지와 5개의 사탕을 샀다. 초콜릿과 사탕의 개수는 모두 몇 개인지 구하시오.
- 상현이는 4일 동안 과자를 3개씩 먹었고, 유민이는 4일 동안 과자를 5개만 먹었다. 두 사람이 먹은 과자는 모두 몇 개인지 구하시오.
- 케익을 만들고 4개씩 들어 있는 체리 3봉지와 방울 토마토 5개를 토핑으로 올렸다. 케익에 올린 토핑은 모두 몇 개인지 구하시오

※ 유창성 [6점]

총체적 채점 기준	점수
다섯 가지 방법을 찾은 경우	6점
네 가지 방법을 찾은 경우	4점
세 가지 방법을 찾은 경우	3점
두 가지 방법을 찾은 경우	2점
한 가지 방법을 찾은 경우	1점

※ 독창성 및 융통성 [4점]

요소별 채점 기준	점수
한 가지 물체를 이용하여 문제를 만든 경우	2점
두 가지 물체를 이용하여 문제를 만든 경우	2점

[해설]

곱셈과 덧셈을 이용한 혼합계산식으로 해결할 수 있는 다양한 문제를 만든다. 한 가지 물체를 이용한 문제, 두 가지 물체를 이용한 문제 등 다양한 문제를 만들 수 있다.

정답 및 해설 **41**

49

❶
- 공정한 방법으로 승부를 가릴 수 있어야 한다.
- 게임을 통해 덧셈을 쉽고, 재미있게 익힐 수 있어야 한다.
- 여러 명의 친구가 함께 할 수 있어야 한다.
- 게임 방법이 쉽고 간단해야 한다.

총체적 채점 기준	점수
세 가지를 서술한 경우	5점
두 가지를 서술한 경우	3점
한 가지를 서술한 경우	1점

❷
- **게임 이름** : 카드 덧셈
- **게임 방법**

  ① 뒤집어 놓은 카드를 순서대로 한 장씩 가지고 간다.

  ② 가지고 간 카드를 뒤집어 더 큰 수를 가진 사람부터 카드를 1장씩 더 가지고 간다.

  ③ ②를 반복하여 카드를 모두 나누어 가진다.

  ④ 카드에 적힌 수를 모두 더한다.

  ⑤ 더한 수의 각 자리 숫자를 모두 더한다.

  ⑥ 덧셈의 결과 가장 큰 값을 가진 사람이 이긴다.

  ⑦ 게임 후 상대방의 카드와 바꾸어 덧셈이 틀린 곳은 없는지 확인한다. 덧셈이 잘못되었다면 덧셈의 결과에 상관없이 진다.

- -

- **게임 이름** : 주사위 쓰리셈
- **게임 방법**

  ① 1~6, 3~8, 4~10이 표시된 주사위 3개와 누르면 소리가 나는 종 1개를 준비한다.

  ② 한 사람씩 돌아가면서 3개의 주사위를 동시에 던진다.

  ③ 주사위에 나온 3개의 수를 모두 더한 값을 구한 사람은 종을 치고 값을 말한다. 단, 값이 틀린 경우 다음 종을 친 사람이 값을 말한다.

  ④ 말한 값이 맞으면 점수 10점을 얻는다.

  ⑤ 먼저 100점을 얻는 사람이 이긴다.

요소별 채점 기준	점수
게임이 오류없이 진행 가능한 경우	4점
게임 방법을 바르게 서술한 경우	4점
게임의 이름을 바르게 정한 경우	2점

[해설]

❶ 게임이므로 승부가 공정해야 하고 게임을 만들고자 하는 주제에 적합해야 한다. 또한, 여러 사람이 참여하여 쉽게 게임을 할 수 있도록 게임 방법이 쉽고 간단해야 한다.

❷ 앞의 문제에서의 고려해야 할 점을 바탕으로 덧셈 게임을 만든다. 공정하며, 덧셈을 익힐 수 있으며, 누구나 쉽게 할 수 있는 게임이어야 한다. 게임의 이름은 게임의 방법이나 특징을 잘 나타낼 수 있는 이름이어야 한다.

정답 및 해설

50

❶ m 단위의 자를 사용하는 것이 가장 좋다. 학교 건물의 높이는 1 m보다 높고, 1 km보다는 낮기 때문이다. 만약 mm나 cm의 단위로 학교 건물의 높이를 잰다면 더 정확하게 잴 수 있겠지만, 높이를 재는 데 너무 많은 시간과 노력이 필요하고 여러 번의 측정으로 인해 오히려 정확하지 않은 결과가 나올 수도 있다.

요소별 채점 기준	점수
단위를 바르게 결정한 경우	2점
그 이유를 서술한 경우	3점

❷

- 학교에서 집까지의 거리는 내 걸음으로 540걸음이다.
- 학교에서 집까지의 거리는 내 발 크기의 3600배이다.
- 학교에서 집까지의 거리는 내 보통 걸음으로 10분을 걸어야 하는 거리이다.
- 학교에서 집까지의 거리는 내 양팔을 벌린 길이의 140배이다.
- 학교에서 집까지의 거리는 내 키와 같은 막대 길이의 135배이다.

총체적 채점 기준	점수
한 가지 마다	2점

[해설]

❶ 길이 단위의 감각을 이용해 측정에 적절한 길이 단위를 찾도록 한다. 작은 단위로 길이를 측정하면 매우 정확하게 측정할 수 있다고 생각될 수도 있지만, 여러 번의 측정으로 인해 그 결과가 부정확할 수도 있다.

❷ 자를 사용하지 않고 거리를 표현함으로써 자의 필요성과 편리함에 대해 다시 한 번 생각해본다. 자가 없던 옛날에는 자를 대신하여 어떤 방법이 사용되었을지 생각해보고 다양한 아이디어를 찾는다. 자를 대신할 단위 길이를 정하여 거리를 표현할 수 있고, 이동하는 데 걸리는 시간을 이용해 거리를 표현할 수도 있다.

안쌤이 추천하는
영재교육원 대비 1,2학년 로드맵

STEP

문제해결력

안쌤의 창의적 문제해결력 수학   안쌤의 창의적 문제해결력 수학

STEP

실전파이널

안쌤의 창의적 문제해결력 파이널 수학, 과학 50제

STEP

실전테스트

안쌤의 창의적 문제해결력 모의고사 시리즈 초등 1, 2학년